inspire 1

Méthode de français **A1**

Lucas MALCOR - Claire MARCHANDEAU

Cahier d'activités

FRANÇAIS LANGUE ÉTRANGÈRE

Crédits photographiques

Couverture : Getty Images / Tim Robberts
Intérieur : Shutterstock

Remerciements :
Nous remercions **Nelly Mous, Anne-Marie Diogo** pour l'épreuve DELF et **Anne Veillon-Leroux** pour la transcription phonétique des pages « Lexique » du livret.

 indique les activités un peu plus difficiles.

 hachette s'engage pour l'environnement en réduisant l'empreinte carbone de ses livres. Celle de cet exemplaire est de : **0,850 kg éq. CO2** Rendez-vous sur www.hachette-durable.fr

PAPIER CERTIFIÉ

Couverture : Nicolas Piroux
Maquette intérieure : Eidos
Adaptation graphique : Anne-Danielle Naname
Mise en page : Sylvie Daudré
Édition : Françoise Malvezin / Le Souffleur de mots
Illustrations : Gabriel Rebufello
Enregistrements audio, montage, mixage : Quali'sons : David Hassici
Maîtrise d'œuvre : Françoise Malvezin / Le Souffleur de mots

Achevé d'imprimer en avril 2023 en Italie par L.E.G.O. S.p. A. Lavis (TN) - Dépôt légal : avril 2020 - Édition n° 03 - 66/3965/8

Sommaire

Saluer

LE FRANÇAIS

1 Lisez. Qui se présente en français ? Cochez (✔) la bonne réponse.

a. ☐ Bom dia, chamo-me Lucinda, e você?

b. ☐ ¡Hola! Me llamo Juan. ¿y tú?

c. ☐ Bonjour ! Je m'appelle Isabelle, et vous ?

d. ☐ Buongiorno, mi chiamo Alessandra. E lei?

e. ☐ Buna ziua, ma numesc Stefan. Și tu?

f. ☐ Hola, em dic Anna. I tu?

LES SALUTATIONS (1)

2 a. **cinq salutations.**

B	O	N	S	O	I	R	D
M	A	R	O	I	I	C	B
C	U	R	E	V	O	I	O
T	R	E	S	B	I	E	N
V	E	S	A	L	U	T	J
I	U	R	E	V	O	T	O
M	F	J	T	H	P	O	U
A	U	R	E	V	O	I	R

b. Écrivez le mot mystère avec les lettres ☐.

☐ ☐ ☐ ☐ ☐

3 Complétez les salutations avec : bonjour · au revoir · ça va · bonsoir · salut

Ex. : – Bonjour, je m'appelle Sylvie Ramos.
      – Moi, je m'appelle Annie Monceau.

a. – _____ Paul, _____ ?
   – Salut Julie. Ça va !

b. – _____ , Patrick !
   – Au revoir, Jacques !

c. – _____ , monsieur Durand. Vous allez bien ?
   – Oui, merci. Bonsoir, madame Ming.

LES PRÉSENTATIONS

4 **Présentez-vous.**

Bonjour, ...

LES OBJETS DE LA CLASSE

5 **Écrivez les objets de la classe :**

une chaise · une table · un tableau · un ordinateur · une tablette · un smartphone · un livre · un stylo · un crayon

a. un ....

b. un ....

une chaise

c. une ....

d. un ....

e. une ....

f. un ....

g. un ....

h. un ....

Leçon 2

Épeler et compter

L'ALPHABET (1)

1 🎧 2 **Écoutez et écrivez la lettre.**

Ex. : t

1. ....
2. ....
3. ....
4. ....
5. ....
6. ....
7. ....
8. ....

2 🎧 3 **Écoutez et écrivez les noms de villes. Soulignez l'intrus.**

Ex. : Paris

1. ....
2. ....
3. ....
4. ....
5. ....
6. ....

➕ **3** 🎧 4 **Écoutez le top 10 des prénoms français en 2019. Complétez.**

Top 10 des prénoms français en 2019

Garçons	Filles
1. Gabriel	1. ....
2. Louis	2. Louise
3. Raphaël	3. ....
4.	4. Alice
5. Adam	5. Mila
6.	6. ....
7. Lucas	7. ....
8. Maël	8. Lina
9.	9. Léa
10. Liam	10. Léna

LES NOMBRES DE 0 À 99

4 🎧 5 **Écoutez les nombres et tracez le chemin.**

12	89	33	68	56	21
79	22	53	5	38	19
51	36	11	23	75	95
3	15	99	3	27	31
37	50	5	97	25	18
28	83	70	8	54	36

5 🎧 6 **Écoutez et écrivez les numéros de téléphone.**

Ex. : Caroline : 02 41 34 17 56

a. Daniel : _____

b. Sylvie : _____

c. Laurent : _____

d. Anne : _____

➕ **6** **Écrivez six nombres de 12 à 99 avec :**

quatre · trois · soixante · vingt · dix · huit · onze · et · un

Ex. : 78 soixante-dix-huit

a. _____

b. _____

c. _____

d. _____

e. _____

f. _____

LES JOURS DE LA SEMAINE

7 **Écrivez les jours de la semaine.**

JANVIER 2020

Lundi						
30	31	1	2	3	4	5
6	7	8	9	10	11	12
13	14	15	16	17	18	19
20	21	22	23	24	25	26
27	28	29	30	31	1	2
3	4	5	6	7	8	9

COMMUNIQUER EN CLASSE

8 🎧 7 **Écoutez. Qui parle ? Cochez (✔) la bonne réponse.**

	Ex.	a.	b.	c.	d.	e.	f.	g.	h.	i.	j.
Le professeur	✔										
L'élève											
Les deux											

Parler de la France et de la francophonie

1 Entourez les spécialités de France et des pays francophones.

Ex. :

LA FRANCOPHONIE

2 (Entourez) sept pays francophones.

E	Q	M	H	V	R	F	B	
L	T	U	N	I	S	I	E	
L	S	E	N	E	G	A	L	
I	C	K	N	T	B	J	G	
B	A	M	T	N	I	S	I	
A	C	A	N	A	D	A	Q	
N	G	L	O	M	U	D	U	
S	U	I	S	S	E	P	E	

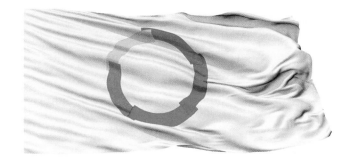

3 **a.** **Associez le continent, le pays et la ville.**

Le continent	Le pays	La ville
	1. Le Vietnam	A. Bamako
	2. La Tunisie	B. Montréal
a. L'Afrique	3. La Belgique	C. Beyrouth
b. L'Asie	4. Le Liban	D. Hanoï
c. L'Europe	5. Le Canada	E. Lausanne
d. L'Amérique	6. Le Mali	F. Bruxelles
	7. Le Sénégal	G. Tunis
	8. La Suisse	H. Dakar

b. **Situez les pays sur la carte.**

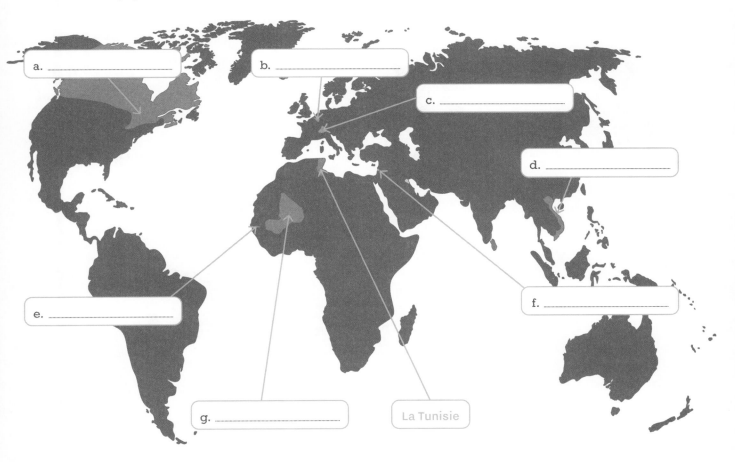

a. _____

b. _____

c. _____

d. _____

e. _____

f. _____

g. _____

La Tunisie

Leçon 4 **Se présenter**

COMPRENDRE

1 🎧 8 **Écoutez la présentation des étudiants. Complétez la liste du professeur.**

Liste des étudiants

	Ex.	a.	b.	c.	d.	e.	f.
Prénom	Alejandra	Agneska	Reginald	Jianzhen	Luigi	Martin	Abel
Nationalité	espagnole						
Pays	L'Espagne						

2 **Écrivez le nom du pays de la personne.**

Je m'appelle Luciana.
Je suis brésilienne.

Je m'appelle Thomas.
Je suis suisse.

Je m'appelle Abiona.
Je suis nigérian.

Je m'appelle Aldo.
Je suis italien.

Ex.

a

b

c

Je m'appelle Esperanza.
Je suis espagnole.

Je m'appelle Aniela.
Je suis polonaise.

Je m'appelle Nora.
Je suis française.

d

e

f

Ex. : Luciana : le Brésil

a. Thomas : ....

b. Abiona : ....

c. Aldo : ....

d. Esperanza : ....

e. Aniela : ....

f. Nora : ....

VOCABULAIRE

◖ Les nationalités

3 <u>Soulignez</u> la bonne réponse.

Ex. : Céline Dion est
canadien / <u>canadienne</u>.

a. Rossy de Palma est
espagnol / espagnole.

b. Yao Ming est
chinois / chinoise.

c. Marion Cotillard est
français / française.

d. Andrea Bocelli est
italien / italienne.

e. Alejandro Iñárritu est
mexicain / mexicaine.

GRAMMAIRE

◖ Les articles définis *le, la, l', les* pour nommer le pays

4 Classez les noms de pays.
~~Maroc~~ · États-Unis · Chine · Canada · Allemagne · Pologne · Italie · Mexique · Espagne · Philippines · Vietnam ·
Tunisie · Belgique · Nigeria · Mali · Liban · France · Suisse

le	Maroc	la		l'		les	

Se présenter

+5 Complétez les noms des pays voisins de la France.

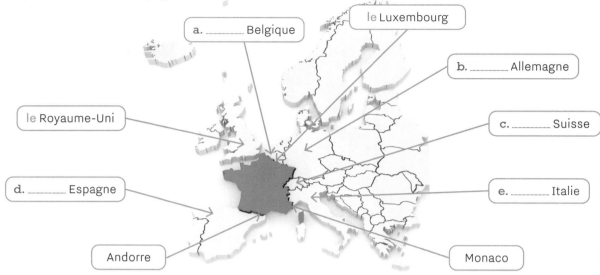

a. .... Belgique

le Luxembourg

b. .... Allemagne

le Royaume-Uni

c. .... Suisse

d. .... Espagne

e. .... Italie

Andorre

Monaco

◀ Les pronoms personnels sujets singuliers

6 Associez pour former des phrases.

• es brésilien ?

• s'appelle Anna.

• vous appelez Karl ?

a. Je

b. Tu

→ suis française.

c. Il

• t'appelles Frédéric ?

d. Elle

• est mexicain.

e. Vous

• m'appelle Julie.

• êtes chinoise.

◀ Les verbes *être* (1) et *s'appeler* au présent

7 Complétez avec le verbe *être* ou *s'appeler*.

Ex. : – Vous êtes française ?

– Non, je suis suisse.

a. – Tu .... Laure ?

– Non, je .... Flore.

b. – Paulo .... espagnol ?

– Non, il .... brésilien.

c. – Vous .... Pia ?

– Oui, je .... italienne.

d. – Bonjour, je .... Adrian.

– Tu .... suisse ?

– Non, je .... polonais.

◖ Le verbe *s'appeler* au présent

8 🎧 9 **Écoutez. Indiquez si la prononciation du verbe est identique (=) ou différente (≠).**

Ex.	a.	b.	c.	d.
=				

COMMUNIQUER

9 🎧 10 **Écoutez les présentations. Cochez (✓) la bonne réponse.**

	Ex.	a.	b.	c.	d.	e.	f.	g.	h.
Demander / Dire le prénom	✔								
Demander / Dire la nationalité									
Demander / Dire le pays									

➕10 Écrivez le message de présentation de Carmen.

CARTE D'ÉTUDIANT
PARIS ÎLE-DE-FRANCE

UNIVERSITÉ PARIS 1
PANTHÉON SORBONNE

Nom : HENRIQUEZ

Prénom : Carmen

Nationalité : espagnole

Pays : Espagne

Ciprian
Salut ! Je m'appelle Ciprian. Je suis polonais. La Pologne !

Carmen

PHONÉTIQUE

◖ Le rythme

11 Indiquez les syllabes (/).

Ex. : Le Vietnam → Le / Viet / nam

a. Le Sénégal → ....

b. Chypre → ....

c. La Belgique → ....

d. La Suisse → ....

e. L'Argentine → ....

f. L'Espagne → ....

g. Cuba → ....

h. La Corée du Sud → ....

Échanger des informations personnelles

COMPRENDRE

1 Observez le document. Cochez (✓) les bonnes réponses.

a. Le document est...
- ☐ une affiche.
- ☐ un badge.
- ☐ une carte de visite.

b. Les informations :
- ☐ le nom de l'école.
- ☐ le nom de la personne.
- ☐ le prénom de la personne.
- ☐ le pays.
- ☐ la ville.
- ☐ l'e-mail.
- ☐ la profession.
- ☐ la langue.

École ECAB
Bordeaux

Anne Chérif,
professeur de français
———————————

a-cherif@ecab.com

+2 🎧 11 Écoutez la conversation. Complétez le formulaire d'inscription.

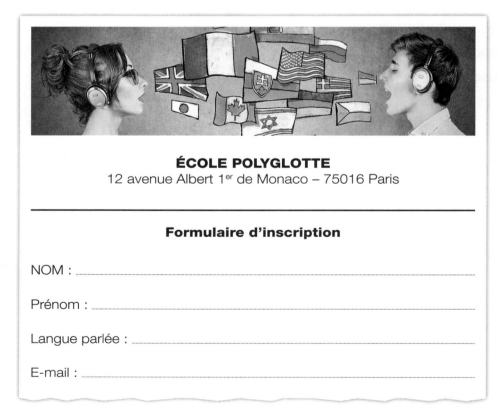

ÉCOLE POLYGLOTTE
12 avenue Albert 1er de Monaco – 75016 Paris

———————————

Formulaire d'inscription

NOM : ....

Prénom : ....

Langue parlée : ....

E-mail : ....

VOCABULAIRE

◀ Les salutations (2)

3 Cochez (✔) la bonne réponse.

	Dire bonjour	Dire au revoir	Demander des nouvelles
Ex. : Bonjour !	✔		
a. Salut !			
b. Bonsoir !			
c. Ça va ?			
d. Bonjour Madame.			
e. Vous allez bien ?			
f. Bonne journée !			
g. Au revoir.			

◀ La langue parlée

4 Complétez avec la langue parlée.

Ex. : Justus habite à Berlin, il parle allemand.

a. Jane habite à Londres, elle parle _____ .

b. Li Xin habite à Shanghai, il parle _____ .

c. Yasmina habite à Tunis, elle parle _____ .

d. Pablo habite à Madrid, il parle _____ .

e. Maria habite à Lisbonne, elle parle _____ .

f. Lise habite à Paris, elle parle _____ .

GRAMMAIRE

◀ Les verbes *habiter (à)* et *parler* au présent

5 Écrivez la terminaison du verbe ou le pronom personnel sujet.

Ex. : Il habite à Nantes.

a. _____ parles anglais ?

b. Tu habit_____ à Mexico ?

c. _____ parlez français.

d. J'habit_____ à Paris.

e. Elle parl_____ arabe.

f. _____ habite à Stockholm.

g. Tu parl_____ quelle langue ?

h. Vous habit_____ à Nice.

UNITÉ **2** **Leçon 5**

Échanger des informations personnelles

+6 **Conjuguez le verbe *parler* ou *habiter* au présent.**

Ex. : – Je m'appelle Tiago. Je suis français et brésilien. Je parle français et portugais. J'habite à Bordeaux. Et toi ?

a. – Moi je m'appelle John. J'_____ à Boston. Je _____ anglais.

b. – Vous êtes marocain ? Vous _____ à Rabat ?

    – Non, j'_____ à Casablanca.

c. – Il _____ trois langues !

    – Non, il _____ deux langues.

d. – Tu t'appelles Laura ? Tu es italienne ?

    – Oui, j'_____ à Milan.

e. – Elle _____ chinois ?

    – Non, elle _____ arabe. Elle _____ à Tunis.

◀ L'adjectif interrogatif *quel / quelle* (1) pour demander des informations personnelles

7 **Ming est dans une école de langues. Entourez la bonne réponse.**

Ex. : – **Quel** · **Quelle** est votre nom ?
    – Mon nom est LI.

a. – **Quel** · **Quelle** est votre prénom ?

    – Mon prénom est Ming.

b. – **Quel** · **Quelle** est le nom de votre pays ?

    – La Chine.

c. – Vous habitez **quel** · **quelle** ville ?

    – J'habite à Xian.

d. – **Quel** · **Quelle** est votre nationalité ?

    – Je suis chinois.

e. – Vous parlez **quel** · **quelle** langue ?

    – Je parle anglais.

f. – Et **quel** · **quelle** est votre e-mail ?

    – C'est liming@mail163.com.

◀ Les adjectifs possessifs (1) pour dire à qui c'est

8 **Associez comme dans l'exemple.**

C'est...
mon
ma
ton
ta
son
sa
votre

• nom (à lui).
• pays (à vous).
• ville (à moi).
• e-mail (à elle).
• nationalité (à toi).
• message (à moi).
• langue (à vous).
• prénom (à toi).
• profession (à lui).

COMMUNIQUER

9 <u>Soulignez</u> la bonne réponse.

Ex. : Vous vous appelez Desbois ? → demander son adresse · <u>demander son nom</u>

a. Vous êtes chinoise ? → demander sa nationalité · demander son prénom

b. Tu habites à Athènes ? → demander sa ville · demander sa profession

c. Vous vous appelez Ahmed ? → demander son prénom · demander sa nationalité

d. Vous parlez portugais ? → demander son pays · demander sa langue

e. Tu habites à Tokyo ? → demander sa ville · demander son adresse

f. Vous êtes professeur ? → demander sa profession · demander sa nationalité

g. C'est h.fernandez@gmail.com ? → demander son e-mail · demander son nom

10 Lisez le profil de Pablo sur un site d'échanges linguistiques. Écrivez son message de présentation.

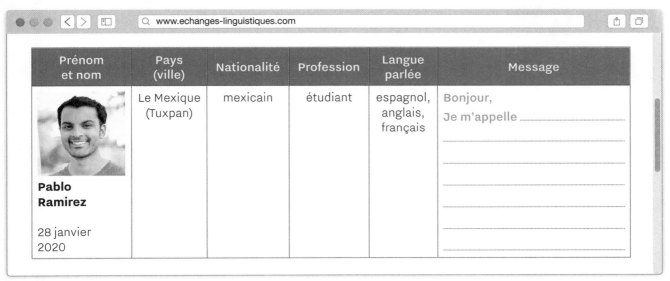

Prénom et nom	Pays (ville)	Nationalité	Profession	Langue parlée	Message
Pablo Ramirez 28 janvier 2020	Le Mexique (Tuxpan)	mexicain	étudiant	espagnol, anglais, français	Bonjour, Je m'appelle _____

PHONÉTIQUE

◖ L'e-mail

11 🎧 12 **Écoutez et corrigez les e-mails.**

Ex. : orsonwalas@orange.fr → orsonwallas@orange.fr

a. piere.mousso@gmail.fr → ....

b. lore-brille@hotmail.com → ....

c. daniel-dorbien@gmail.fr → ....

d. therise.garcia@orange.fr → ....

e. john.fergason@orange.fr → ....

f. gonzague-vilagrande@yahoo.fr → ....

Préciser des informations

COMPRENDRE

1 Regardez la réservation. Cochez (✔) la bonne réponse.

ⓩ FLiXBUS

NUMÉRO DE COMMANDE
#0603628076

VOTRE RÉSERVATION
mardi 11 août

DÉPART 10:10
Dijon

ARRIVÉE 15:40
Strasbourg

TARIF
30 euros

PASSAGERS
Romain Wepierre
+33612568971

Thomas Pugieux
+33624326536

a. C'est une réservation pour...
☐ un hôtel.
☐ un avion.
☐ un bus.

b. La date du voyage est le...
☐ jeudi 10 juillet.
☐ mardi 11 août.
☐ samedi 21 septembre.

c. C'est une réservation pour...
☐ 1 personne.
☐ 2 personnes.
☐ 3 personnes.

d. Le tarif est...
☐ 12 euros.
☐ 24 euros.
☐ 30 euros.

2 🎧 13 **Ludovic réserve une nuit d'hôtel. Écoutez et complétez le formulaire.**

Hôtel Louise

FORMULAIRE DE RÉSERVATION

☑ Réservation   ☐ Modification   ☐ Annulation

Nom :

Prénom :

Numéro de téléphone :

E-mail :

Date d'arrivée :

Date de départ :

Nombre de nuits :

Nombre de personnes : adulte(s)

enfant(s)

VOCABULAIRE

◖ Les nombres de 100 à 1 000 000

3 🎧 14 **Écoutez et écrivez en chiffres le nombre d'habitants.**

Ex. : Paris : 2 206 488 habitants.

a. Marseille : _____ habitants.

b. Lyon : _____ habitants.

c. Toulouse : _____ habitants.

d. Nice : _____ habitants.

e. Nantes : _____ habitants.

f. Bordeaux : _____ habitants.

◖ Les mois de l'année

4 Associez les dates et les mois.

a. 16-05-1938 •   • 1. décembre

b. 25-10-1959 •   • 2. janvier

c. 4-01-1982 •   • 3. octobre

d. 31-12-2018 •   • 4. mai

e. 28-07-1999 •   • 5. février

f. 13-02-1955 •   • 6. juillet

g. 21-03-1966 •   • 7. juin

h. 9-08-2015 •   • 8. août

i. 15-11-2004 •   • 9. avril

j. 30-09-1947 •   • 10. mars

k. 17-04-2020 •   • 11. novembre

l. 22-06-1974 •   • 12. septembre

◖ Les saisons en France

5 Indiquez la saison : le printemps, l'été, l'automne ou l'hiver.

Ex. : L'automne

a. _____

b. _____

c. _____

d. _____

e. _____

Leçon 6 — Préciser des informations

GRAMMAIRE

◀ **Les articles indéfinis *un*, *une*, *des* pour nommer des choses**

6 **Entourez** *un*, *une* ou *des*.

Ex. : Nous avons un · (une) · des réservation d'hôtel.

a. Tu as **un** · **une** · **des** numéro de téléphone ?

b. Le Havre est **un** · **une** · **des** ville française.

c. Je réserve **un** · **une** · **des** chambres pour Patrick et Karine.

d. La Pologne est **un** · **une** · **des** pays.

e. Vous réservez **un** · **une** · **des** petits déjeuners ?

f. Vous avez **un** · **une** · **des** adresse à Paris ?

◀ **Les verbes *être* (2) et *avoir* au présent**

7 **Conjuguez le verbe *avoir* au présent.**

Ex. : Tu **as** 29 ans.

a. – Vous _____ des enfants ?

– Oui, nous _____ deux enfants.

b. – Ils _____ une réservation d'hôtel ?

– Oui, ils _____ une réservation à Bordeaux.

c. – Tu _____ quel âge ?

– J'_____ 53 ans.

d. – Il _____ un numéro de téléphone français ?

– Non, il _____ un numéro brésilien.

e. – Elles _____ quel âge ?

– Sophie _____ 42 ans et

Julie _____ 44 ans.

f. – Tu _____ une chambre d'hôtel ?

– Oui, j'_____ une chambre à Paris.

+8 **Soulignez le bon verbe.**

Ex. : Nous avons · <u>sommes</u> mexicains.

a. Les enfants **ont** · **sont** à l'école.

b. Mélissa **a** · **est** étudiante.

c. Vous **avez** · **êtes** professeur.

d. Tu **as** · **es** une adresse e-mail ?

e. Nous **avons** · **sommes** trois enfants.

f. Bernard **a** · **est** 40 ans.

g. Vous **avez** · **êtes** quel âge ?

h. Carla et Gianna **ont** · **sont** italiennes.

+9 Complétez avec le bon verbe.

Ex. : Nous sommes suisses. Je suis professeur de français.

a. Bonjour, Nicole et moi, nous _____ français et nous habitons au Canada. Je _____ professeur de français et elle _____ professeure d'anglais. Et vous ? Vous _____ français ?

b. – Salut ! Tu _____ étudiant ?

– Salut. Oui, je _____ étudiant de chinois. Et toi ?

c. – Ils _____ espagnols ?

– Non, Michael _____ italien et Michelle _____ brésilienne.

d. – Vous _____ française ou ghanéenne ?

– Je _____ ghanéenne.

COMMUNIQUER

10 Écrivez les questions pour demander des informations.

Ex. :

Quel est votre nom ? — FERRERO.

a. _____ — Gabriel.

b. _____ — Je suis brésilien.

c. _____ — 57 ans.

d. _____ — 10 rue d'Italie à Toulouse.

e. _____ — 05 61 18 42 92

f. _____ — Je parle anglais.

+11 🎧 15 Écoutez les questions et cochez (✓) la bonne réponse.

Réponses	Questions					
	1	2	3	4	5	6
Ex. : Hugues.		✔				
a. SERETTI.						
b. Je suis professeur.						
c. J'habite à Angers.						
d. 06 70 83 19 34.						
e. h.seretti@gmail.com						

BILAN

🎧 Compréhension orale 8 points

1 🎧 **16 Écoutez le dialogue. Complétez le formulaire.** *1 point par bonne réponse*

DEMANDE D'OUVERTURE DE COMPTE		BOURSOBANQUE
1 IDENTIFICATION	**2 CRÉATION**	**3 CONFIRMATION**

Nom : _____   Prénom : _____

Date de naissance : _____ _____ 1964

Adresse _____

Rue : _____   Ville : _____

Code postal : 75010   Pays : _____

Vous contacter _____

Téléphone : _____   E-mail : _____

📖 Compréhension écrite 10 points

1 Lisez l'échange. Complétez les profils. *1 point par bonne réponse*

Prénom : _____

Nationalité : _____

Âge : _____

Ville : _____

Langues parlées : _____

Prénom : _____

Nationalité : _____

Âge : _____

Ville : _____

Langue parlée : _____

Production écrite 12 points

3 Lisez le profil de Jarod. Écrivez son message de présentation.

École française de Paris   Rechercher   Accueil   Classes   Groupes   🔔 🗩 👤

Jarod Haralson, 45 ans
Professeur de français
▮ Paris, France

à propos   Activité   Contacts (12)   Classes   Éditer mon profil

Présentation ————————————————————————————————— Modifier

Bonjour, ——
——
——
——

@ Me contacter —————————————————————————————————— Modifier
j.haralson@gmail.fr

Production orale 10 points

4 Présentez les deux personnes : dites le prénom et le nom, la nationalité, l'âge, la ville et les langues parlées.

Nom
HAYEK

Prénom
Salma

Nationalité
mexicaine et américaine

Âge
53 ans

Ville
Londres

Langues parlées
espagnol et anglais

Nom
FEDERER

Prénom
Roger

Nationalité
suisse

Âge
38 ans

Ville
Zurich

Langues parlées
français et anglais

Leçon 8 **Parler de la famille**

COMPRENDRE

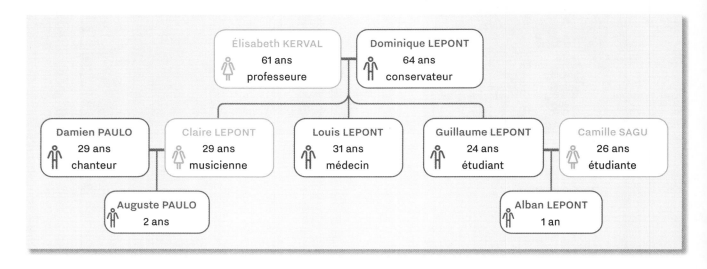

1 Observez l'arbre généalogique. Répondez Vrai ou Faux (✔).

	Vrai	Faux
Ex. : Le père d'Auguste a 29 ans.	✔	
a. Dominique et Elizabeth ont une petite-fille.		
b. Louis et Damien sont frères.		
c. La sœur de Guillaume s'appelle Camille.		
d. L'oncle d'Alban est médecin.		
e. Les parents d'Auguste sont artistes.		
f. Les grands-parents d'Alban ont trois fils.		

2 a. 🎧 17 **Écoutez et cochez (✔) la bonne réponse.**

Irina... ☐ salue sa famille.
☐ présente son pays.
☐ présente sa famille.

b. 🎧 17 **Réécoutez et corrigez les phrases.**

1. Irina a un nom : le nom de son père.

→ ....

2. Sa mère habite à Fugère.

→ ....

3. Ses parents ont deux enfants.

→ ....

4. Ses sœurs sont artistes.

→ ....

5. Son fils Thomas a dix ans.

→ ....

6. Thomas parle trois langues : le français, l'italien et l'espagnol.

→ ....

VOCABULAIRE

◖ La famille

3 **Observez la famille de Léa. Complétez avec :**

père · grand-père · grand-mère · parents · frère

Ex. : Paul est le père de Léa.

a. Jules est le _____ de Léa.

b. Daniel est le _____ de Léa.

c. Renée est la _____ de Léa.

d. Paul et Françoise sont les _____ de Léa.

Françoise · Paul · Renée · Daniel · Léa · Jules

4 **a. Mettez les lettres dans l'ordre et ajoutez *le, la* ou *l'*.**

Ex. : r r è e f → le frère   → les frères

a. e l i l f → _____   → _____

b. n o c e l → _____   → _____

c. e o s r u → _____   → _____

d. s i l f → _____   → _____

e. u s c o i n → _____   → _____

f. n t t e a → _____   → _____

b. Transformez au pluriel.

◖ Les professions (2) artistiques

5 **Qui parle ? Cochez (✔) la bonne réponse.**

	Un homme	Une femme	Un homme ou une femme
Ex. : Je suis réalisateur.	✔		
a. Je suis écrivain.			
b. Je suis journaliste.			
c. Je suis conservatrice.			
d. Je suis musicien.			
e. Je suis peintre.			
f. Je suis chanteuse.			
g. Je suis poète.			
h. Je suis artiste.			

GRAMMAIRE

◖ Le pluriel des noms

6 **a. Le mot est singulier (S), pluriel (P) ou les deux (D) ? Écrivez.**

Ex. : cousine → S

a. _____ nationalité → _____
e. _____ Italie → _____
h. _____ langues → _____

b. _____ parents → _____
f. _____ numéros → _____
i. ____ / ____ pays → _____

c. ____ / ____ fils → _____
g. _____ enfant → _____
j. _____ adresses → _____

d. _____ oncle → _____

b. Complétez avec un article défini : *le, la, l'* ou *les*.

Ex. : la cousine

◖ Les adjectifs possessifs (2) pour présenter sa famille

7 🎧 18 **Écoutez. Vous entendez quelle phrase ? <u>Soulignez</u>.**

Ex. : <u>Mon oncle parle japonais.</u> • Son oncle parle japonais.

a. Votre grand-mère s'appelle Nathalie. • Notre grand-mère s'appelle Nathalie.

b. Ta cousine parle anglais ? • Sa cousine parle anglais ?

c. Il habite chez son oncle. • Il habite chez ses oncles.

d. Ma tante s'appelle Hélène Pila. • Sa tante s'appelle Hélène Pila.

e. Notre petit-fils habite à Paris. • Votre petit-fils habite à Paris.

f. Lucien, c'est mon grand-père. • Lucien, c'est ton grand-père.

➕8 **Complétez avec un adjectif possessif.**

Ex. : Mon pays, c'est le Ghana et ma ville d'origine, c'est Accra.

a. Son père parle anglais. _____ mère et _____ grands-parents parlent japonais.

b. Écrivez votre nom, _____ prénom et l'âge de _____ enfants.

c. Nos trois enfants sont artistes : _____ fille est réalisatrice et _____ fils sont chanteurs.

d. Vous avez mon e-mail, _____ adresse et _____ numéros de téléphone ?

e. Ma sœur, _____ frère et _____ parents sont dans _____ ville.

f. Louise et Luc Pierret sont avec leur fils Carl et _____ filles Clara et Léa.

◖ *C'est (2) / Il-Elle est / Ce sont / Ils-Elles sont* pour présenter une personne

9 **Reliez.**

a. C'est •

b. Ce sont •

c. Il est •

d. Elle est •

e. Ils sont •

f. Elles sont •

• 1. professeur.

• 2. un artiste.

• 3. Ernest.

• 4. son frère.

• 5. Monsieur André.

• 6. poètes.

• 7. françaises.

• 8. mon père.

• 9. des écrivains français.

• 10. chanteuse.

• 11. ses parents.

▶ Dictée

10 🎧 19 **Écoutez et écrivez les phrases.**

a. ....

b. ....

c. ....

d. ....

COMMUNIQUER

11 🎧 20 **Écoutez et reliez.**

a. Katalin	ma cousine	44 ans	médecin
b. Carla	ma tante	48 ans	professeure
c. Clotilde	ma sœur	69 ans	artiste
d. Magdalena	ma grand-mère	91 ans	réalisatrice
e. Fatima	ma mère	59 ans	écrivaine
f. Pia	ma fille	22 ans	musicienne

➕ 12 Découpez les mots du dialogue. Ajoutez la ponctuation et les majuscules.

Ex. : – c e s t q u i s u r l a p h o t o

a. – c e s t m o n o n c l e e t m e s c o u s i n s

b. – t o n o n c l e s a p p e l l e c o m m e n t

c. – b e n o i t i l e s t m é d e c i n

d. – e t s e s d e u x e n f a n t s

e. – s a f i l l e s ' a p p e l l e v a l e n t i n a e t s o n f i l s s ' a p p e l l e r a f a

f. – i l s s o n t f r a n ç a i s

g. – n o n i l s s o n t b r é s i l i e n s

Ex. : – C'est qui sur la photo ?

– ....

– ....

– ....

– ....

– ....

– ....

– ....

Culture(s)

◀ **Les noms de famille en France**

Marius Dupont et Elsa Sarabia sont français. Ils ont un fils : Ugo.

13 Trouvez le nom de famille d'Ugo. Quatre réponses sont possibles.

a. ....

b. ....

c. ....

d. ....

Leçon 9 **Décrire une personne**

COMPRENDRE

1 Lisez et cochez (✔) la bonne réponse.

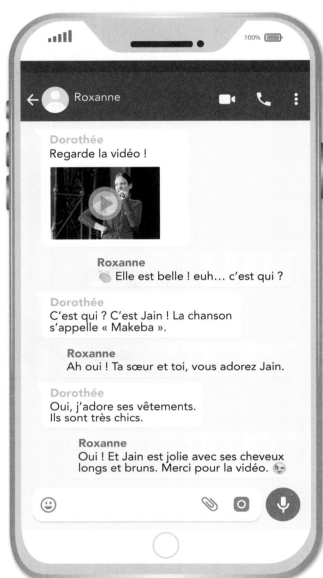

a. Dorothée parle d'…
- une personne de sa famille.
- une chanteuse.
- une amie de sa sœur.

b. Roxanne décrit…
- son corps.
- ses cheveux.
- son caractère.
- son apparence.
- ses vêtements.
- ses accessoires.

2 🎧 21 Écoutez et écrivez le numéro.
Il y a deux intrus !

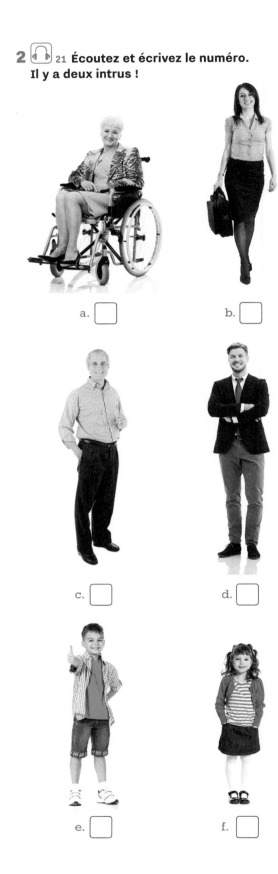

a. ☐   b. ☐

c. ☐   d. ☐

e. ☐   f. ☐

VOCABULAIRE

◖ La soirée

3 a. Reliez pour former des mots.

Ex. : une invi •   • ké
1. _____ fê •   • tion
2. _____ karao •   • çon
3. _____ gar •   • pine
4. _____ chan •   • tée
5. _____ co •   • son
6. _____ invita •   • te

b. Ajoutez l'article indéfini *un* ou *une*.

◖ Le physique, l'apparence et le caractère

4 🎧 22 **Écoutez et cochez (✔) la bonne réponse.**

	Ex.	a.	b.	c.	d.	e.	f.	g.	h.
Le corps									
Les cheveux									
L'apparence									
Le caractère	✔								

◖ Les vêtements (1) et les accessoires (1)

5 a. Observez les photos et complétez.

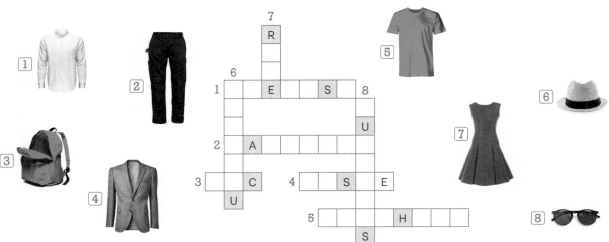

b. Écrivez un vêtement ou un accessoire avec les lettres ☐.

| C | | | | | | | | | | |

Décrire une personne

GRAMMAIRE

◀ L'article indéfini pour donner une information non précise

6 Entourez le bon article.

Ex. : (un) • une • des pantalon

a. un • une • des lunettes

b. un • une • des sacs

c. un • une • des veste

d. un • une • des tee-shirts

e. un • une • des amie

f. un • une • des chapeau

g. un • une • des chanson

h. un • une • des invités

i. un • une • des copain

j. un • une • des chemise

◀ Les articles indéfinis et définis

7 Complétez avec un article défini ou un article indéfini.

Ex. : Igorovitch est un nom russe. C'est le nom de son père.

a. Je parle _____ langues étrangères : _____ français, _____ espagnol et _____ italien.

b. _____ livres *Inspire 1* et *Inspire 2* sont _____ livres de français.

c. Elle crée _____ groupe Whatsapp, c'est _____ groupe « Mes amis à Paris ».

d. Il habite _____ grande ville, c'est _____ ville de Marseille.

e. _____ chanson « Les mots d'amour » est _____ chanson d'Édith Piaf.

f. Elle habite chez _____ ami, c'est _____ ami de ma sœur.

➕ 8 Complétez avec un article défini ou indéfini.

– Ce soir, c'est la fête de Manu. C'est _____ collègue italien.

– _____ fête, c'est dans _____ restaurant ?

– Non, _____ parents d'Erika ont une grande maison.

– C'est qui Erika ?

– Erika ? C'est _____ copine de Manu, c'est _____ fille sympa.

– Et _____ maison de ses parents, c'est à Paris ?

– Je ne sais pas. _____ adresse et _____ numéro de téléphone de Manu sont dans _____ e-mail.

◀ Le masculin, le féminin et le pluriel des adjectifs pour décrire une personne

9 Soulignez le bon adjectif.

Ex. : Il est très grand • grands • grande • grandes.

a. Ton fils est très beau • beaux • belle • belles.

b. Elle a les cheveux court • courts • courte • courtes.

c. André Hossein porte une chemise élégant • élégants • élégante • élégantes.

d. Mes filles sont sportif • sportifs • sportive • sportives.

e. Kenza est une femme sérieux • sérieuse • sérieuses.

f. Vos lunettes sont joli • jolis • jolie • jolies.

Dictée

10 🎧 23 **Écoutez et écrivez les phrases.**

a._____

b._____

c._____

d._____

COMMUNIQUER

11 a. 🎧 24 **Écoutez la description de Marine et entourez.**

b. Regardez et décrivez Simon.

Simon_____

_____

_____

_____

➕ **12 Paul présente sa copine. Complétez.**

PHONÉTIQUE

▌Les lettres finales muettes

13 🎧 25 **Écoutez. Barrez les lettres finales muettes.**

Ex. : Nos enfants habitent à Paris.

a. Salut, tu es français ?

b. Ton pantalon est élégant.

c. Elle a des cheveux bruns.

d. Votre document est long.

e. Elle porte un grand chapeau.

f. Son vêtement est court.

Leçon 10 Échanger sur ses goûts

COMPRENDRE

1 Lisez et complétez avec les sports et les loisirs.

Moi | Famille | Bien-être | Loisirs | Sport | Forum

Rechercher

Parlez de vos loisirs, des loisirs de vos amis et de votre famille !

Lili 36

Mes amis n'aiment pas courir. Ils ne sont pas sportifs. Ils adorent la fête, danser, les karaokés. Ils aiment aussi regarder des films.
Mon frère aime le foot mais il préfère le tennis. C'est son sport préféré ! Lui, il n'aime pas lire. Il aime bien aller au restaurant le week-end.
Quel est mon loisir préféré ? Le cinéma, le cinéma, le cinéma ! J'adore voir des films : des films français, des films américains. L'opéra, je n'aime pas. C'est long ! J'aime bien le théâtre.

	👎	👍	👍👍👍
Moi			
Mes amis			
Mon frère			

---

2 🎧 26 **a.** Écoutez et cochez (✔) la bonne réponse.

1. Qui parle ?
   - ☐ Un père et son fils.
   - ☐ Un père et sa fille.
   - ☐ Un frère et sa sœur.

2. Ils parlent...
   - ☐ des amis de Marta.
   - ☐ des goûts de Marta.
   - ☐ de la famille de Marta.

b. Marta aime... (Entourez) les photos. Marta n'aime pas... Barrez les photos.

VOCABULAIRE

◖ Les sports (1)

3 **Associez un sport à un objet.**

Ex. : Le basket → _2_

a. Le foot → ....

b. Le cyclisme → ....

c. Le tennis → ....

d. L'équitation → ....

e. La natation → ....

f. La formule 1 → ....

◖ Les loisirs (1)

4 🎧 27 **Écoutez et complétez.**

Ex. : Le samedi, j'adore danser avec mes amis.

a. Les enfants regardent la ....

b. Ses loisirs préférés sont le .... et le foot.

c. Elle aime aller à l'........................ .

d. Vous allez au .... vendredi soir ?

e. Nous aimons lire des ....

f. Elles aiment les beaux ....

GRAMMAIRE

◖ Les verbes en *-er* au présent

5 **Conjuguez les verbes au présent.**

Ex. : Vous parlez quelles langues ? – Je parle anglais et français.

a. – Nous habit......... à Paris. Et toi ? Tu habit......... où ? – J'habit......... à Madrid.

b. – Quel sport aiment-elles ? – Elles ador......... le tennis.

c. – Ton père aim......... le rock des années 1980 ? – Oui, il ador......... le groupe Téléphone.

d. – Vous habit......... en France ? – Non, j'habit......... à Bruxelles.

e. – Vous aim......... bien le karaoké ? – Oui, ma femme et moi, nous ador......... !

◖ La négation (1) : *ne... pas*

6 🎧 28 **Écoutez et cochez (✔) les phrases avec la négation.**

	Ex.	a.	b.	c.	d.	e.	f.	g.	h.
Négation	✔								

7 **Répondez aux questions avec la négation.**

Ex. : Tes amis sont sportifs ? → Non, ils ne sont pas sportifs.

a. Ton grand-père aime l'opéra ? → Non, il _____.

b. Sa copine parle français ? → Non, elle _____.

c. Vos invités sont professeurs ? → Non, ils _____.

d. Vous habitez à Paris ? → Non, je _____.

e. Vos enfants ont les cheveux longs ? → Non, ils _____.

f. Vous regardez la télé ? → Non, nous _____.

L'interrogation avec *est-ce que / qu'est-ce que,* l'intonation et l'inversion

8 **Complétez avec** ~~qui est-ce~~ • c'est qui • qu'est-ce que • est-ce que (x2)

Entre copains

Q Rechercher

+ Chat

Qui est-ce sur la photo ?

C'est mon ami Reza. Il est iranien.

_____ il parle français ?

Oui, il parle français.

Et lui, _____ ?

C'est son frère Darius.

_____ il aime faire ?

Il adore le football.

_____ ils habitent à Téhéran ?

Non, ils habitent à Ispahan.

9 **Écrivez les questions.**

	Avec intonation	Avec *est-ce que*	Avec inversion
a.	Tu as la nationalité française ?	_____	As-tu la nationalité française ?
b.	_____	_____	Regardez-vous la Formule 1 à la télé ?
c.	_____	Est-ce que tu habites à New York ?	_____
d.	_____	Est-ce qu'ils aiment le sport ?	_____
e.	Vous êtes médecin ?	_____	_____
f.	Elles préfèrent courir ?	_____	_____
g.	_____	_____	Parles-tu russe ?

D **Dictée**

10 🎧 29 **Écoutez et écrivez les phrases.**

a. ....

b. ....

c. ....

d. ....

e. ....

COMMUNIQUER

11 **Numérotez le dialogue dans l'ordre.**

____1____ – Est-ce que tu aimes le sport ?

_____ – Moi aussi j'aime le basket. Je n'aime pas le foot et toi ?

_____ – Mon sport préféré, c'est le basket.

_____ – Moi aussi j'adore. Qu'est-ce que tu aimes ?

_____ – Oui, j'adore le sport.

_____ – Moi non plus. Je préfère regarder à la télé !

12 🎧 30 **Claire parle de ses goûts. Écoutez et cochez (✔) la bonne réponse.**

	💔	❤️	❤️❤️❤️
L'opéra			✔
Le théâtre			
Le cinéma			
Regarder la télé			
Lire des magazines			

PHONÉTIQUE

‹ **Les combinaisons de voyelles**

13 🎧 31 **Écoutez et complétez.**

a. Le po**è**te a des ch**au**ssures chics et un b_____ chap_____ .

b. N_____s avons le numér_____ du n_____v_____ rest_____rant.

c. Leur coll_____gue japon_____s _____me la f_____te et les karaok_____s.

d. J_____ préfère le profess_____r de ma s_____r.

Compréhension orale   10 points

1 🎧 32 **Kamala décrit son nouveau copain à son amie Virginie.**   *2 points par bonne réponse*

Écoutez et répondez.

a. Le nouveau copain de Kamala s'appelle...
☐ Corentin.
☐ Virginie.
☐ Valentin.

b. Il a...
☐ 20 ans.
☐ 30 ans.
☐ 40 ans.

c. Il est...
☐ timide.
☐ sérieux.
☐ triste.

d. Il est...
☐ musicien.
☐ écrivain.
☐ chanteur d'opéra.

e. C'est...

1. ☐   2. ☐   3. ☐

Compréhension écrite   10 points

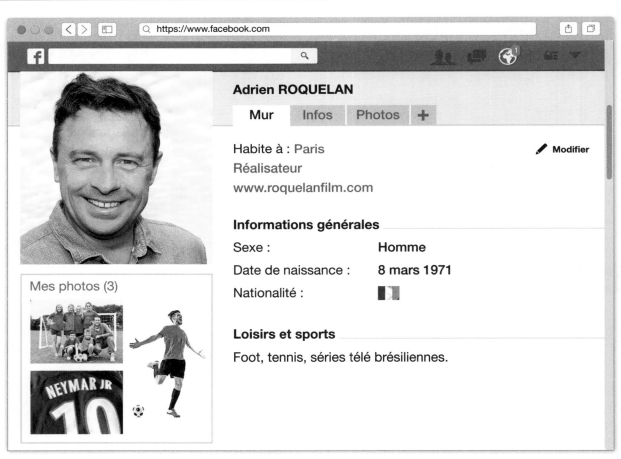

2 Lisez la page d'Adrien. Cochez (✔) Vrai ou Faux.   *1 point par bonne réponse*

	Vrai	Faux
a. Il s'appelle Adrien Roquelan.		
b. Il a trente-cinq ans.		
c. Il habite en France.		
d. Il est sportif.		
e. Il est brésilien.		
f. Il a un site Internet.		
g. Il a les cheveux longs.		
h. Il adore le foot.		
i. Il n'aime pas le cinéma.		
j. Il est écrivain.		

Production écrite   12 points

3 Lisez le profil de Marika. Complétez l'échange.
2 points par bonne réponse

Nom	Sanchez
Prénom	Marika
Nationalité	espagnole
Langues parlées	espagnol, français et anglais
Profession	professeur
Loisirs et sport	basket, tennis, ciné

Monchat
http://www.monchat.com

(19h44) Invité75015 : Bonjour, tu t'appelles Maria ?

(19 h 45) Marika : _____

(19 h 56) Serge : Tu es française ?

(19 h 57) Marika : _____

(20 h 13) Amy11 : Est-ce que tu parles anglais ?

(20 h 24) Marika : _____

(20 h 26) Invité 75015 : Quelle est ta profession ?

(20 h 27) Marika : _____

(20 h 32) Amy11 : Est-ce que tu aimes le sport ?

(20 h 33) Marika : _____

Production orale   8 points

4 **Julia présente son petit cousin Rémi à un(e) ami(e). Dites son âge, décrivez son physique (la taille, les cheveux) ses vêtements et ses accessoires. Parlez de ses goûts.**

Leçon 12   S'informer sur un lieu

COMPRENDRE

1 Regardez la carte postale. Associez une photo à sa description.

J' ♡ Antsiranana.

Ex. : À Antsiranana, il y a un grand port.   → Photo n° __2__

a. La nature est sauvage et splendide.   → Photo n° _____

b. Antsiranana est au nord de Madagascar.   → Photo n° _____

c. Le jardin est à côté de la cathédrale.   → Photo n° _____

d. Il y a un marché typique.   → Photo n° _____

2 a. 🎧 33 **Écoutez et cochez (✔) la bonne réponse.**

1. Pauline… ☐ présente sa famille.
           ☐ présente son quartier.
           ☐ parle de son pays.

2. Elle habite… ☐ aux États-Unis.
           ☐ en France.
           ☐ en Italie.

b. 🎧 33 **Réécoutez. Entourez le symbole de sa ville.**

c. Qu'est-ce qu'il y a dans la rue Pascal ? Cochez (✔) les bonnes réponses.

☐ une pharmacie   ☐ un cinéma   ☐ un marché
☐ un café   ☐ un jardin   ☐ un restaurant
☐ un parking   ☐ une cathédrale   ☐ un musée

VOCABULAIRE

◖ Les lieux de la ville (1)

3 a. Complétez les lieux de la ville avec :

| mar | rant | per | su | ~~ga~~ | dra | rie | tau | tel | ~~sin~~ | ché | lat | thé | le |

Ex. : le magasin

1. le con_____   3. le res_____   5. le su_____

2. la mai_____   4. l'hô_____   6. la ca_____

b. Classez les lieux de la ville.

Les achats	L'administration	Les monuments	Les loisirs
le magasin			

◖ Les transports

4 Entourez le moyen de transport.

Ex. : une station   →   le train · le métro · le bateau

a. une gare   →   le vélo · le train · le métro

b. un arrêt   →   le bus · la voiture · le vélo

c. une station   →   le vélo · le train · le tramway

d. un port   →   le bateau · le vélo · le tramway

e. un parking   →   le train · le bateau · la voiture

f. une station-service → la voiture · le train · le bateau

◖ Les déplacements

5 Soulignez la bonne préposition.

Ex. : Paris, c'est à deux heures à · <u>en</u> train.

a. Le supermarché, c'est à dix minutes **à** · **en** pied.

b. La gare, c'est à vingt minutes **à** · **en** tramway.

c. Le Havre, c'est à deux heures **à** · **en** bateau.

d. L'école, c'est à quinze minutes **à** · **en** bus.

e. L'Espagne, c'est à trois heures **à** · **en** voiture.

f. Le stade, c'est à une heure **à** · **en** vélo.

GRAMMAIRE

◖ Les présentatifs *C'est* (3) et *Il y a* pour présenter un lieu

6 Complétez avec *c'est* ou *il y a*.

Ma famille habite à Clermont-Ferrand. Dans la ville, **il y a** 150 000 habitants.
À Clermont, _____ des monuments historiques, une grande cathédrale
et un beau musée : _____ le musée Henri-Lecoq. _____ un jardin
agréable à côté du musée, _____ à deux minutes à pied. _____
un stade de rugby : _____ le stade de l'ASM Clermont-Auvergne.
_____ loin du centre mais _____ le tramway.

UNITÉ 4 · Leçon 12 · S'informer sur un lieu

◖ Les prépositions *à côté de* et *loin de* pour situer un lieu

7 **Complétez avec les prépositions :**
à côté de l' • à côté de la • à côté du • loin de l' •
loin de la • loin du

Ex. : À pied, je suis loin du port.

a. Je suis _____ cathédrale.

b. Je suis _____ supermarché.

c. Je suis _____ hôtel de ville.

d. Je suis _____ gare.

e. Je suis _____ arrêt de bus.

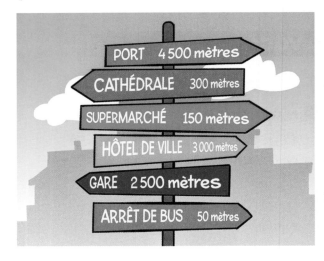

◖ Les prépositions *en*, *à*, *au* et *aux* pour dire le pays où on habite

8 🎧 34 **Écoutez. Quelle préposition entendez-vous ? Cochez (✔) la bonne réponse.**

	Ex.	a.	b.	c.	d.	e.	f.
en	✔						
à							
au							
aux							

➕9 **Complétez les phrases.**

Ex. : Busan, Corée du Sud → Sun-Hi habite à Busan en Corée du Sud.

a. Bordeaux, France → Éliane habite _____

b. Florianopolis, Brésil → Vicente habite _____

c. Séville, Espagne → Fatima habite _____

d. Pékin, Chine → Na habite _____

e. Guadalajara, Mexique → Eduardo habite _____

f. San Francisco, États-Unis → Priscilla habite _____

g. Nairobi, Kenya → Numa habite _____

▎ Dictée

10 🎧 35 **Écoutez et écrivez les phrases.**

a. _____

b. _____

c. _____

d. _____

COMMUNIQUER

11 **Associez les questions et les réponses.**

a. L'arrêt de bus, c'est à côté d'ici ?
b. Le consulat, c'est loin ?
c. Il y a un métro dans le quartier ?
d. Qu'est-ce qu'il y a à visiter ?
e. Ici, c'est ton parking ?
f. L'école est à côté du cinéma ?

• 1. Oui, la station est à cent mètres d'ici.
• 2. Oui, regarde ! Le bus est là.
• 3. Non, c'est à deux minutes à pied.
• 4. Non, elle est loin d'ici, au sud du quartier.
• 5. Oui, ma voiture est là.
• 6. Des monuments et un grand jardin.

12 **Regardez le plan. Complétez la description du quartier avec :**
~~plan~~ · côté · pied · nord · parkings · monument · hôtels

PHONÉTIQUE

Le groupe rythmique

13 🎧 36 **Écoutez. Indiquez les groupes rythmiques (|).**

Ex. : Ils sont à Paris | pour le week-end.

a. Elle habite en France et sa famille habite aux États-Unis.
b. Dans mon quartier, il y a une cathédrale et un beau musée.
c. À Lyon, en France, il y a le tramway et le métro.

d. Là, au sud, il y a la gare.
e. Il y a un parking et à côté, un petit jardin et un grand stade.
f. J'habite au sud de Toulouse, à côté d'un grand parc.

Leçon 13 **Indiquer un chemin**

COMPRENDRE

1 a. 🎧 37 **Écoutez le dialogue. Cochez (✔) la bonne réponse.**

1. L'homme... ☐ demande une direction.
☐ explique un lieu de la ville.
☐ indique une direction.

2. Il va... ☐ à l'église.
☐ à la poste.
☐ à la pharmacie.

3. Il va... ☐ en bus.
☐ en métro.
☐ à pied.

4. La poste est... ☐ à 2 heures.
☐ à 20 minutes.
☐ à 10 minutes.

b. 🎧 37 **Réécoutez le dialogue. Quel est le chemin ? Numérotez les photos.**

a. ☐   b. ☐   c. ☐   d. ☐

2 Lisez le message de Léa. Complétez l'itinéraire pour aller de la maison à la crèche.

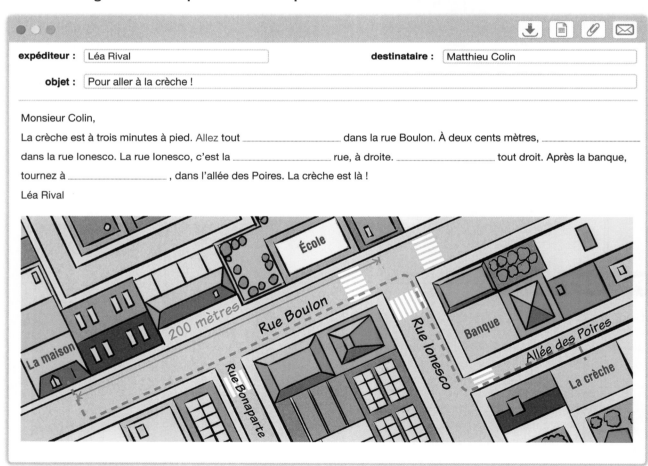

expéditeur : Léa Rival   destinataire : Matthieu Colin

objet : Pour aller à la crèche !

Monsieur Colin,

La crèche est à trois minutes à pied. Allez tout _____ dans la rue Boulon. À deux cents mètres, _____

dans la rue Ionesco. La rue Ionesco, c'est la _____ rue, à droite. _____ tout droit. Après la banque,

tournez à _____ , dans l'allée des Poires. La crèche est là !

Léa Rival

VOCABULAIRE

◖ Les lieux de la ville (2)

3 🎧 38 **Écoutez. Écrivez le numéro du dialogue.**

Ex. : Dialogue n° ___2___   a. Dialogue n° _____   b. Dialogue n° _____   c. Dialogue n° _____

◖ L'itinéraire, la direction

4 Complétez les phrases avec : là · ~~tourne~~ · au bout · à côté · à gauche · deuxième · droit

Ex. : Je continue tout droit ou je **tourne** à droite ?

a. La rue de Lyon ? C'est la première ou la _____ rue ?

b. La banque, c'est loin ou c'est _____ ?

c. La gare routière, c'est à droite ou c'est _____ ?

d. La mairie, c'est par ici ou c'est par _____ ?

e. Je tourne à droite ou je vais tout _____ ?

f. Le collège, c'est _____ de l'allée ?

GRAMMAIRE

◖ L'interrogation avec *où* pour demander un chemin

5 Observez le plan. Écrivez des questions.

Ex. : – Où est le boulodrome ?
     – Dans l'allée du Matin.

a. – _____ ?
     – Dans la rue Pascal, à côté de l'école.

b. – _____ ?
     – Au bout de l'avenue Rodin, à 50 mètres du boulodrome.

c. – _____ ?
     – Sur la place Hugo.

d. – _____ ?
     – À côté de la poste, sur le boulevard Brune.

e. – _____ ?
     – Dans la rue de la Paix.

f. – _____ ?
     – Sur la place Hugo, à une minute à pied des jeux.

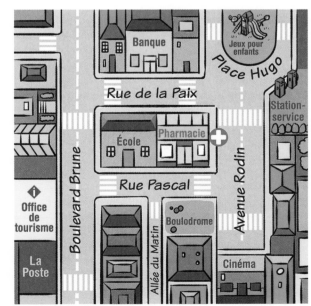

UNITÉ 4 — Leçon 13 — Indiquer un chemin

◖ Le verbe *aller* au présent

6 Complétez le dialogue avec le verbe *aller* au présent.

– Salut Carmen, tu **vas** où ce soir ?

– Ce soir ? Patrick et moi .... au cinéma. Il y a un festival de films mexicains.

– Vous .... au ciné avec vos amies Béa et Lou ?

– Non, Béa .... au théâtre et Lou et son copain .... au restaurant. Et toi ?

– Moi, je .... au stade. Il y a un match de Paris-Saint-Germain. J'adore le football !

7 Entourez la bonne réponse.

Ex. : Je vais **au** · à l' · à la · aux cinéma.

a. Nous allons **au** · à l' · à la · **aux** gare routière.

b. Ils vont **au** · à l' · à la · **aux** toilettes.

c. Tu vas **au** · à l' · à la · **aux** banque ?

d. Elles vont **au** · à l' · à la · **aux** école.

e. Je vais **au** · à l' · à la · **aux** office de tourisme.

f. Elle va **au** · à l' · à la · **aux** hôpital.

g. Vous allez **au** · à l' · à la · **aux** cinéma ?

h. Elles vont **au** · à l' · à la · **aux** jeux pour enfants.

◖ L'impératif (1) pour indiquer un chemin, une direction

8 🎧 39 Écoutez et cochez (✔) le temps du verbe.

	Ex.	a.	b.	c.	d.	e.	f.
Présent							
Impératif	✔						

➕9 Complétez le tableau avec les verbes à l'impératif.

Ex. : Tourner à droite.	Tourne à droite !	Tournons à droite !	Tournez à droite !
a. Continuer cent mètres.			
b. Chercher l'office de tourisme.			
c. Regarder la direction.			
d. Aller à la banque.			
e. Situer l'hôtel.			
f. Observer le plan.			

COMMUNIQUER

10 **Un homme demande son chemin.**
Soulignez la bonne réponse.

– Excusez-moi, madame, je cherche l'**hôpital** · <u>**office**</u> de tourisme.

– C'est à cinq minutes à pied, dans le centre historique. Ce n'est pas **loin** · **à côté**. Vous allez tout **droite** · **droit**.
Au bout de la rue du Stade, il y a la poste.

– D'accord ! À la poste, je vais **qui** · **où** ?

– **Tournez** · **Continuez** à droite, dans la **rue** · **place** Pompidou. C'est à cinquante mètres, à côté du **cinéma** · **boulevard**.

– Merci, madame. Bonne journée.

11 **Observez le plan. Indiquez le chemin pour aller de la poste à la banque.**

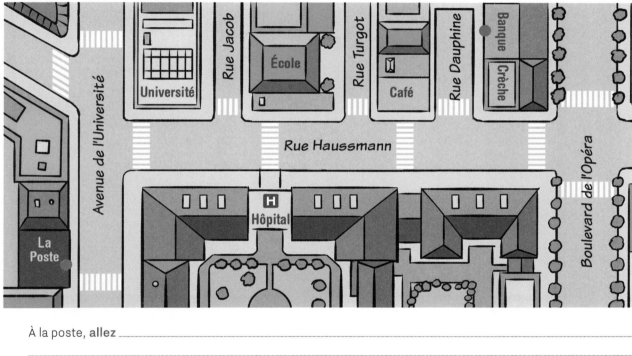

À la poste, **allez** _____

_____

_____

_____

_____

PHONÉTIQUE

Les sons [y] et [u]

12 🎧 40 **Écoutez. Les mots sont identiques ou différents ? Cochez (✔) la bonne réponse.**

	Ex.	a.	b.	c.	d.	e.	f.
Mots identiques	✔						
Mots différents							

Proposer une sortie

COMPRENDRE

1 a. Lisez le message de Fabien. Complétez son agenda.

← Les copains   APPELER   PLUS

Bonjour,

Samedi 21 décembre,
il y a une super exposition
de sculpture. C'est au Centre
Pompidou de Metz, à 10 heures.
C'est 12 euros le billet.
Vous venez avec moi ?
Téléphonez au 06 45 65 98 64.

Regardez les photos des
sculptures :
www.centrepompidou-metz.com

Fabien

Écrire un message   ENVOI

ANNULER   ENREGISTRER

? Sortie culturelle : _____

📍 Lieu : _____

📅 Date et heure : _____

€ Tarif : _____

b. Cochez (✔) la photo de la sortie culturelle.

1. ☐

2. ☐

3. ☐

c. 🎧 41 Écoutez les réponses des amis de Fabien. Pourquoi refusent-ils l'invitation ? Cochez (✔) la bonne réponse.

	Sport	Activité avec la famille	Tarif	Transport
Message 1 : Dora				✔
Message 2 : Colin				
Message 3 : Inna				
Message 4 : Madeleine				

VOCABULAIRE

◖ Les loisirs (2) et les sorties

2 **Regardez les photos du week-end de Victoria. Numérotez les bonnes photos.**

Samedi

8:00
9:00
10:00
11:00
12:00
13:00
14:00
1 (15:00) Balade à Paris (Bastille)
           avec Pierre
16:00
17:00
18:00
2 (19:00) Verre en terrasse
           (gare de Lyon)
20:00
21:00

Dimanche

8:00
9:00
10:00
3 (11:00) Brunch au Select
           téléphone : 01 22 78 03 47
12:00
13:00
14:00
4 (15:00)
16:00 Expo
       « Russie : 100 photos »
17:00
18:00
19:00
20:00
21:00

a. ☐

b. ☐

c. 1   d. ☐   e. ☐   f. ☐

◖ L'heure

3 🎧 42 **Écoutez et écrivez l'heure formelle.**

Ex. : `09:00`

a. _ _ : _ _   c. _ _ : _ _   e. _ _ : _ _   g. _ _ : _ _

b. _ _ : _ _   d. _ _ : _ _   f. _ _ : _ _   h. _ _ : _ _

◖ Les indicateurs de temps (1)

4 🎧 43 **Écoutez. Indiquez le moment de la journée : le matin (M), l'après-midi (A), le soir (S).**

Ex.	a.	b.	c.	d.	e.	f.
A						

Leçon 14 Proposer une sortie

GRAMMAIRE

◖ Les pronoms toniques

5 **Complétez avec le pronom tonique ou le pronom sujet.**

– Qu'est-ce que tu aimes faire le week-end ?

– **Moi**, j'aime sortir et boire un verre avec des amis. Et _____, Hugo, _____ aimes faire la fête ?

– Non, je n'aime pas. Le dimanche, _____ fais du sport. Dans ma famille, _____ sommes sportifs ! _____,

j'aime faire mon jogging. Mon frère, _____, il préfère le tennis. Ma petite sœur Chloé, _____, elle adore la danse.

– Et tes grands-parents, _____ sont sportifs aussi ?

– _____, ils ont 80 ans ! _____ font des promenades entre dix heures et midi le dimanche.

✚ 6 **Écrivez les phrases.**

Ex. : Je / parler français • Elle / parler espagnol → Moi, je parle français. Elle, elle parle espagnol.

a. Je / être professeur de français • Ils / être professeurs d'anglais

→ _____

b. Il / adorer le foot • Elle / adorer le tennis

→ _____

c. Vous / aller à la gare à pied • Il / aller à la gare en bus

→ _____

d. Tu / tourner à droite • Je / tourner à gauche

→ _____

e. Nous / habiter à Lyon • Elles / habiter à Nantes

→ _____

f. Elles / venir à 20 heures • Nous / venir à 21 heures

→ _____

◖ Les verbes *pouvoir* et *vouloir* au présent

7 **Associez pour former des phrases.**

• 1. veut faire un jogging.

• 2. voulons aller au musée.

• 3. pouvez sortir.

a. Je / Tu •————→ • 4. veux venir.

b. Il / Elle •

c. Nous • • 5. peuvent faire des photos.

d. Vous • • 6. veulent faire une promenade.

e. Ils / Elles • • 7. peux envoyer un message.

• 8. voulez faire une balade.

• 9. peut inviter ses amis.

• 10. pouvons aller au restaurant.

D Dictée

8 🎧 44 **Écoutez et écrivez les phrases.**

a. _____

b. _____

c. _____

d. _____

COMMUNIQUER

9 a. Mettez les mots dans l'ordre pour écrire des questions.

Ex. : à • à • exposition • viens • l' • Tu • heures • dix-huit → Tu viens à l'exposition à dix-huit heures ?

1. veux • au • aller • demain • cinéma • Tu • soir

   → _____ ?

2. êtes • dimanche • libres • Vous • matin

   → _____ ?

3. fait • heures • une • à • On • onze • promenade

   → _____ ?

4. sculpture • L' • de • gratuit • est • atelier

   → _____ ?

5. est • à • heure • brunch • Le • quelle

   → _____ ?

b. Associez les questions 9a. aux réponses.

Ex. : Je ne peux pas : je finis le travail à 20 heures.

a. Non, c'est six euros pour les adultes. → Question n° _____

b. D'accord ! J'adore les films français. → Question n° _____

c. D'accord ! Onze heures au parc, c'est bien. → Question n° _____

d. Non, le matin, nous allons courir. → Question n° _____

e. Entre onze heures et quinze heures, au resto « La Petite Balade ». → Question n° _____

➕**10** 🎧 45 **Écoutez la conversation. Complétez les pages d'agenda de Daria et Marco.**

Annuler **Nouvelle activité** Ajouter	Annuler **Nouvelle activité** Ajouter	Annuler **Nouvelle activité** Ajouter
Daria	**Marco**	**Daria**
Loisirs ⚪	Loisirs ⚪	Loisirs ⚪
Activité : Cours de danse	Activité : _____	Activité : _____
Lieu : _____	Lieu : _____	Lieu : Bar « Le Moderne »
Jour : _____	Jour : _____	Jour : _____
Heure de début : **14 heures**	Heure de début : **15 heures**	Heure de début : _____
Heure de fin : _____	Heure de fin : **16 h 30**	Heure de fin : **20 heures**
1	2	3

🎧 Compréhension orale 10 points

1 a. 🎧 46 **Éric téléphone à Chloé. Écoutez et cochez (✔) la bonne réponse.** *2 points par bonne réponse*

1. Éric…
   ☐ accepte l'invitation de Chloé.
   ☐ invite Chloé chez lui.
   ☐ propose une sortie à Chloé.

2. Il veut…
   ☐ faire une promenade.
   ☐ boire un verre.
   ☐ aller au cinéma.

3. Chloé…
   ☐ accepte la proposition.
   ☐ refuse la proposition.
   ☐ ne répond pas.

4. Le rendez-vous est…
   ☐ samedi matin.
   ☐ samedi après-midi.
   ☐ samedi soir.

b. 🎧 46 **Réécoutez. Tracez l'itinéraire du métro République à l'arrêt du bus 22.** *2 points*

📖 Compréhension écrite 10 points

2 Lisez la page Internet et répondez aux questions. *2 points par bonne réponse*

https://www.ville-preferee.fr

ville-preferee.fr

Moulins (03000)

NOTEZ ET COMMENTEZ VOTRE VILLE : Moulins

Avis posté le 04-04-2020 à 14 h 56
Par **Jules**

6,33 / 10

Transports	Jardins	Sports	Cafés	Musées	Écoles
4/10	9/10	7/10	7/10	8/10	9/10

J'aime : Pour les familles, Moulins est une ville sympa. Ici, il y a des marchés typiques, des restaurants et des magasins. L'école des enfants est à deux minutes à pied. Les professeurs sont sérieux et sympathiques. Les enfants adorent leur école. Au bout de notre rue, il y a un grand jardin. On peut faire une balade ou un jogging. Il y a des pharmacies ouvertes le dimanche. J'aime bien ma ville.

Je n'aime pas : La mer, c'est loin : entre quatre et cinq heures en voiture ! Pour aller à Paris, c'est 55 euros en train !

a. Qu'est-ce que le site ville-preferee.fr ?

_____

b. Est-ce que l'école est loin ? _____

c. Où est-ce que Jules fait du sport ? _____

d. Quel est le tarif en train pour aller à Paris ? _____

e. Pour l'école, Jules donne quelle note ? _____

 ## Production écrite   9 points

3 **Lucas et Léa échangent des SMS. Associez les questions de Lucas aux réponses de Léa.**
Complétez les réponses avec : pas • libre • peux • fait • d'accord • dimanche • loin

Lucas

[1] Tu viens au restaurant samedi soir ?

[2] Ok... Nous pouvons aller au cinéma dimanche à quinze heures ?

[3] Non, c'est à côté. C'est à cinq minutes à pied ! Tu viens avec Gaëlle ?

[4] Elle est sportive ! Rendez-vous au cinéma à 14 h 45 ?

[a] Pourquoi _____ ?
Le cinéma, c'est _____ d'ici ?

[b] Non, elle n'est pas
_____ . Elle
_____ son jogging.

[c] _____ .
À _____ !

[d] Non, je ne _____ pas.
Je dîne avec mes parents.

 ## Production orale   11 points

4 **Vous invitez votre ami Rahul au cinéma. Vous laissez un message vocal sur son téléphone.**
Vous saluez votre ami. Vous proposez la sortie. Vous indiquez l'activité, le jour et l'heure. Vous situez le lieu de la sortie.

Cinéma **Le Grand Rex**
1 boulevard Poissonnière - 75002 Paris

Samedi 21 mars à 18 h 00

De Gaulle
de Gabriel Le Bomin

Pour aller au cinéma :
Métro **9** – Station Bonne Nouvelle.

UNITÉ **5**

Leçon 16 **Décrire son quotidien**

COMPRENDRE

1 Lisez l'agenda de Svetlana. Répondez Vrai ou Faux (✓). Corrigez les phrases fausses.

Samedi

7

Février

dim	lun	mar	mer	jeu	ven	sam
1	2	3	4	5	6	7
8	9	10	11	12	13	14
15	16	17	18	19	20	21
22	23	24	25	26	27	28

8

9

10   – faire les courses

11   – ménage et vaisselle

12   danse

13

14

15

16

17   TRAVAIL

18

19

20   tennis avec Marc

21

22   cinéma avec Olga

a. Le samedi, Svetlana travaille jusqu'à 20 heures. ☐ Vrai ☐ Faux

→ ....

b. Le week-end, Svetlana fait le ménage et la vaisselle. ☐ Vrai ☐ Faux

→ ....

c. Svetlana fait du tennis le samedi matin. ☐ Vrai ☐ Faux

→ ....

d. Le samedi, Svetlana commence la danse à midi. ☐ Vrai ☐ Faux

→ ....

e. Le samedi soir, Svetlana va au cinéma. ☐ Vrai ☐ Faux

→ ....

2 🎧 47 Gaby raconte son quotidien. Écoutez et cochez (✓) la bonne réponse.

a. Gaby va parfois au travail…
☐ à pied.
☐ en bus.
☐ en voiture.

b. Le soir, Gaby…
☐ mange toujours à la maison avec sa famille.
☐ sort souvent avec sa famille.
☐ va parfois au café avec ses amis.

c. Gaby se couche…
☐ après minuit.
☐ à minuit.
☐ à 11 heures.

d. Gaby travaille à la maison…
☐ le mardi.
☐ le mercredi.
☐ le jeudi.

e. Gaby fait du sport…
☐ le week-end.
☐ le mardi et le vendredi.
☐ le mercredi.

f. Le samedi, Gaby se lève toujours à…
☐ 7 heures.
☐ 9 heures.
☐ 11 heures.

VOCABULAIRE

◖ Les activités quotidiennes

3 **Associez les phrases aux images. Il y a deux intrus !**

Ex. : Il se repose. → Photo n° ___4___

a. Il fait la vaisselle. → Photo n° _____
b. Il fait les courses. → Photo n° _____
c. Il fait la lessive. → Photo n° _____

d. Il se couche. → Photo n° _____
e. Il fait le ménage. → Photo n° _____
f. Il se douche. → Photo n° _____
g. Il dort. → Photo n° _____

1

2

3

4

5

6

◖ Les moments de la journée et de la semaine

4 **Complétez l'interview avec :**

semaine · week-end · journée · dimanche · matin · nuit · soir

– Bonjour Madame Sarri. Vous êtes médecin. Quel est votre quotidien ?

– La semaine , du lundi au vendredi, je travaille à l'hôpital de Brest. Le _____, je commence à neuf heures.

– Vous travaillez aussi la _____ ?

– Oui. Je travaille de 22 heures à 6 heures le mardi et parfois le vendredi.

– Samedi et _____, vous travaillez ?

– Non, je suis à la maison le _____.

– Qu'est-ce que vous faites ?

– La _____, je fais souvent du sport avec mes enfants et je fais le ménage. Le _____, je dîne au restaurant ou je vois un film.

◖ Les repas

5 **Associez le moment de la journée aux repas. Nommez les repas.**

a. Le _____

b. Le _____

c. Le _____

1. Le matin

2. Le midi

3. Le soir

Décrire son quotidien

GRAMMAIRE

◀ Les verbes pronominaux au présent pour décrire son quotidien

6 **Complétez avec le pronom et la terminaison du verbe.**

Ex. : Je me lève à 10 heures.

a. Mes parents _____ repos_____ dans le parc.

b. Vera _____ lav_____ après le petit déjeuner.

c. Tu _____ douch_____ à quelle heure le soir ?

d. Clara et moi, nous _____ lev_____ à sept heures.

e. Je _____ couch_____ à minuit le week-end.

◀ *Ne... jamais, parfois, souvent* et *toujours* pour indiquer la fréquence

7 **Cochez (✓) la bonne réponse.**

Ex. : Vous courez souvent ?

☐ Non, je fais les courses le dimanche.
☑ Non, jamais. Je n'aime pas et ma femme non plus.
☐ Oui, lundi 25 avril au parc.

a. Tu ne vas jamais au supermarché ?

☐ Non, le mercredi et le samedi matin.
☐ Non, c'est à cinq minutes à pied.
☐ Non, je préfère faire les courses au marché.

b. Elle fait parfois la sieste ?

☐ Non, elle ne peut pas. Elle travaille l'après-midi.
☐ Oui, de minuit à huit heures le vendredi et le samedi.
☐ Oui, c'est à dix minutes en tramway.

c. Est-ce que vous faites souvent du tennis ?

☐ Oui, le lundi, le jeudi et le samedi matin.
☐ Non, mes amis sont sportifs. Ils n'aiment pas.
☐ Oui, le 15 janvier.

◀ Le verbe *dormir* au présent

8 **Entourez la bonne réponse.**

Ex. : L'enfant **dort** · **dormez** dans la voiture.

a. Renate et moi **dormons** · **dors** à l'hôtel.

b. La semaine, je **dors** · **dort** de minuit à sept heures.

c. Vous **dormez** · **dorment** à la maison ce soir ?

d. Camille et Éléonore **dorment** · **dormons** jusqu'à dix heures.

e. Tu **dors** · **dormez** dans ta chambre ce soir ?

◀ Le verbe *finir* au présent

+9 **Complétez avec le verbe *finir* au présent.**

Ex. : Vendredi, tu finis le travail à quelle heure ?

a. Nous _____ les courses et nous rentrons à la maison.

b. Je _____ le travail à dix-sept heures.

c. Et tes enfants ? Ils _____ l'école à seize heures ?

d. Tatiana _____ son jogging à dix-huit heures.

e. Les enfants, vous _____ la vaisselle !

D Dictée

10 🎧 48 **Écoutez et écrivez les phrases.**

a. ....

b. ....

c. ....

d. ....

e. ....

COMMUNIQUER

11 **Observez la journée de Valentine et d'Anouche. Décrivez les activités d'Anouche. Indiquez la chronologie.**

Valentine

Ex. : D'abord, Valentine travaille et elle fait la vaisselle. Après, elle se repose.

Anouche

12 **Racontez vos activités quotidiennes avec :**

le lundi   le mardi   le mercredi   le jeudi   le vendredi   le samedi   le dimanche

matin   midi   après-midi   soir

se lever   se doucher   s'habiller   travailler   déjeuner   faire la sieste   se reposer

dîner   se coucher   faire la lessive   faire le ménage   faire la vaisselle

à   heures   jusqu'à   de

Ex. : Le mercredi matin, je travaille de 8 heures à 11 h 45.

1. ....

2. ....

3. ....

4. ....

5. ....

6. ....

Faire les courses

COMPRENDRE

1 a. 🎧 49 **Écoutez et cochez (✔) la bonne réponse.**

1. Boubacar est...
   ☐ à la maison.
   ☐ au supermarché.
   ☐ au restaurant.

2. Boubacar...
   ☐ range les courses dans la cuisine.
   ☐ fait ses courses en ligne.
   ☐ déjeune chez lui avec sa famille.

b. 🎧 49 **Réécoutez et complétez la commande de Boubacar.**

Mon panier						
Carottes	Pommes de terre	....	Fraises	....	Crème	Œufs
FRANCE	ESPAGNE	FRANCE	ITALIE	PORTUGAL	FRANCE	FRANCE
1 kg	1 kg	200 g	.... 500 g			boîte x 6
− 1 +	− .... +	− 1 +	− .... +	− 1 +	− .... +	− .... +

2 🎧 50 **Écoutez les achats au marché. Reliez les aliments aux prix.**

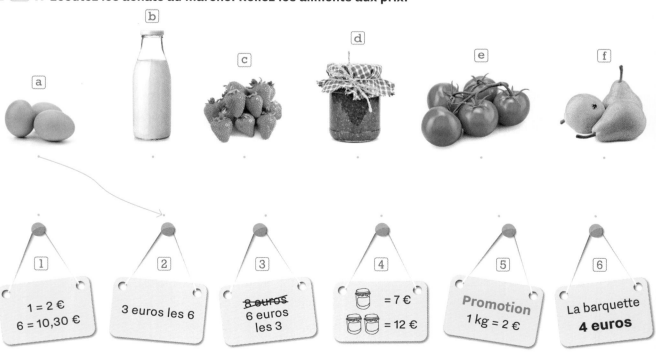

a b c d e f

1 — 1 = 2 € / 6 = 10,30 €
2 — 3 euros les 6
3 — ~~6 euros~~ 6 euros les 3
4 — 🍯 = 7 € / 🍯🍯 = 12 €
5 — Promotion 1 kg = 2 €
6 — La barquette **4 euros**

VOCABULAIRE

Les aliments (1)

3 **Barrez l'intrus. Écrivez la catégorie des aliments :**

les fruits · les poissons · les produits laitiers · les légumes · les condiments

Ex. : le thon · le saumon · le steak → les poissons

a. le sel · la fraise · le poivre · la moutarde   → les _____

b. le beurre · la crème · la confiture · le lait   → les _____

c. le melon · la poire · la pomme de terre · la cerise → les _____

d. l'œuf · la courgette · l'oignon · l'ail   → les _____

Les contenants

4 **Observez les photos et complétez la liste de courses. Indiquez la quantité.**

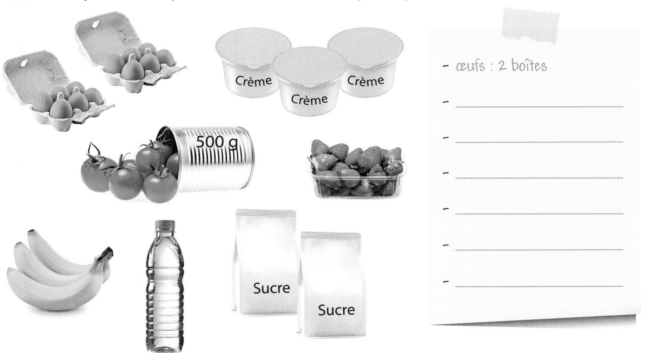

- œufs : 2 boîtes
- _____
- _____
- _____
- _____
- _____
- _____

GRAMMAIRE

Les adjectifs numéraux pour indiquer une quantité déterminée

5 🎧 51 **Écoutez et écrivez la quantité.**

Ex. : J'aimerais du beurre, 200 grammes.

a. Nous allons prendre du saumon, _____ grammes s'il vous plaît.

b. Tu vas acheter _____ melons.

c. Je vais commander du lait, _____ bouteilles.

d. Des carottes s'il vous plaît, _____ grammes.

e. Je prends 6 œufs et des pâtes, _____ paquets.

f. Vous prenez _____ grammes ou _____ kilo de tomates ?

Leçon 17 — Faire les courses

◖ Les articles partitifs pour indiquer une quantité indéterminée

6 (Entourez) les aliments. Complétez la liste avec *du*, *de la*, *de l'* et *des*.

a. Qu'est-ce que j'achète dans une fromagerie ?

poivre · œufs · sucre · (beurre) · carotte · crème · lait · confiture · fromage

J'achète du beurre, _____

b. Qu'est-ce que j'achète dans une poissonnerie ?

courgettes · thon · melon · oignon · steak · moutarde · saumon · sel

J'achète _____

◖ Le futur proche (1) pour exprimer une action future

7 Conjuguez le verbe au futur proche.

Ex. : Il va répondre (répondre) à son message.

a. Je travaille. Je _____ (rentrer) chez moi après vingt heures.

b. Nous avons des invités pour dîner. Nous _____ (faire) les courses au supermarché.

c. Ce sont les vacances. Demain matin, Dorothée _____ (prendre) le train à six heures.

d. Vos enfants sont chez leurs amis ce week-end. Vous _____ (boire) un verre avec nous.

e. Zora et Omar font les courses. Ils _____ (aller) à la poissonnerie.

f. Tu ne travailles pas le week-end. Samedi, tu _____ (dormir) jusqu'à midi !

8 Écrivez la phrase à la forme négative.

Ex. : Je vais commander les aliments sur Internet.
→ Je ne vais pas commander les aliments sur Internet.

a. Vous allez prendre ma liste de courses.

→ _____

b. Nous allons préparer votre petit déjeuner.

→ _____

c. Je vais acheter les aliments pour le repas.

→ _____

d. Elle va faire les courses en ligne.

→ _____

◖ Le verbe *prendre* au présent

9 🎧 52 Écoutez. À quelle(s) personne(s) est conjugué le verbe *prendre* ? Cochez (✓) la bonne réponse.

	Ex.	a.	b.	c.	d.	e.
je / tu / il / elle						
nous	✓					
vous						
ils / elles						

▶ **Dictée**

10 🎧 53 **Écoutez et écrivez les phrases.**

a._____

b._____

c._____

d._____

e._____

f._____

COMMUNIQUER

11 **Milena achète des aliments. Écrivez six phrases avec les quantités :**

6 bouteilles · 2 kilos · une barquette · un paquet · deux pots · 300 grammes · une boîte

Ex. : Elle prend des pommes, 2 kilos.

a. Elle prend _____

b. Elle prend _____

c. Elle prend _____

d. Elle prend _____

e. Elle prend _____

f. Elle prend _____

Ex. ⓐ ⓑ ⓒ

ⓓ  ⓔ ⓕ

12 **Complétez les réponses avec :** acheter des steaks · commander du lait · pique-niquer · faire les courses · prendre des fraises · acheter du saumon

Ex. Tu vas à la boucherie ?   Oui, je vais acheter des steaks.

a. Vous allez au supermarché ?   Oui, nous _____.

b. Elle va sur le site fromagerie.com ?   Oui, elle _____.

c. Tes amies vont au parc ?   Oui, elles _____.

d. Ernesto va à la poissonnerie ?   Oui, il _____.

e. Vous allez chez le primeur ?   Oui, je _____.

PHONÉTIQUE

◖ **Les sons [o] et [ɔ̃]**

13 🎧 54 **Écoutez et soulignez le son [ɔ̃].**

Ex. : <u>con</u>tenant · tomate · <u>con</u>fiture

a. condiment · pomme · commerce

b. poissonnerie · melon · commander

c. fromagerie · combien · fromage

d. oignon · pomme · poisson

COMPRENDRE

1  55 **Écoutez et cochez (✓) la bonne réponse.**

a. Où sont les deux amis ?

☐ Devant un ordinateur.   ☐ Dans une boutique.   ☐ Dans la rue.

b. Qu'est-ce qu'ils font ?

☐ Ils essaient des vêtements.   ☐ Ils regardent des vêtements.   ☐ Ils font une balade.

c. Maria veut acheter un jean pour faire quelle activité ?

1. ☐   2. ☐   3. ☐

d. Combien coûte l'échange de vêtements ?

☐ 0 euro.   ☐ 15 euros.   ☐ 89 euros.

e. Où Maria échange les vêtements ?

☐ Au centre commercial.   ☐ Sur Internet.   ☐ Dans une poste.

2 **Observez la page d'un site de magasin de vêtements. Répondez aux questions.**

a. Quel vêtement est sur le site Internet ? _____

b. Quelles sont les couleurs de ce vêtement ? _____

c. Quelle est la taille ? _____

d. Combien coûte la robe sur Internet ? _____

e. Combien coûte la ceinture ? _____

f. Le magasin est ouvert quels jours ? _____

VOCABULAIRE

◀ Les vêtements (2), les chaussures, les accessoires (2)

3 **Mettez les lettres dans l'ordre. Cochez (✓) la bonne réponse.**

		vêtement	chaussures	accessoire
Ex. : u n s r o h t	→ un short	☑	☐	☐
a. d e s a s d a n s l e	→ des _____	☐	☐	☐
b. u n e c i n e t r u e	→ une _____	☐	☐	☐
c. u n a u t m e a n	→ un _____	☐	☐	☐
d. u n j a n e	→ un _____	☐	☐	☐
e. u n o u f l a d r	→ un _____	☐	☐	☐
f. d e s a b s s e k t	→ des _____	☐	☐	☐

◀ Les couleurs

4 🎧 56 **Écoutez. Entourez le bon vêtement.**

Ex. : ① 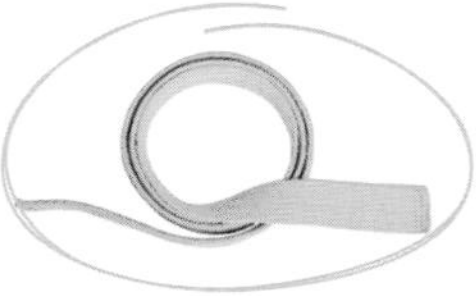 ②  ③

a. ①  ②  ③

b. ①  ②  ③

c. ①  ②  ③

d. ①  ②  ③

e. ①  ②  ③

Leçon 18 — Acheter des vêtements

GRAMMAIRE

◀ Les adjectifs démonstratifs pour désigner un objet

5 🎧 57 **Écoutez. Soulignez la bonne réponse.**

Ex. : chaussure · <u>chaussures</u>

a. cliente · clientes

b. imperméable · imperméables

c. mode · modes

d. accessoire · accessoires

e. magasin · magasins

f. vêtement · vêtements

g. jean · jeans

◀ *Devant, derrière, sur, sous* et *entre* pour localiser un objet

6 Regardez le dessin. Complétez avec :

sur · sur · derrière · sous · sous · entre · devant

Ex. : Le short est sur la table.

a. La ceinture est _____ le pantalon.

b. Les livres sont _____ l'ordinateur.

c. Les chaussettes sont _____ le top rose.

d. La chemise jaune est _____ les chaussures.

e. Le foulard est _____ le stylo et la ceinture.

f. Les sandales sont _____ la chaise.

◀ La place des adjectifs

7 Écrivez la phrase et placez correctement l'adjectif.

Ex. : Ces vêtements sont décontractés. → Ce sont des vêtements décontractés.

a. Cette boutique est grande.   → C'est une _____

b. Ces photos sont parfaites.   → Ce sont des _____

c. Cette robe est petite.   → C'est une _____

d. Ces sandales sont élégantes.   → Ce sont des _____

e. Ce défilé de mode est beau.   → C'est un _____

f. Ce blouson est confortable.   → C'est un _____

◀ Le verbe *essayer* au présent

8 Entourez le bon pronom.

Ex. : Nous · J' · <u>Tu</u> essaies ce vêtement.

a. Nous · Vous · Ils essayez ce top ?

b. Vous · J' · nous essaie un jean.

c. J' · Ils · Il essaient des baskets.

d. Elle · Ils · Tu essaye une robe.

e. Tu · Ils · Nous essayes cette ceinture ?

f. Elles · Nous · Il essayons des blousons.

D Dictée

9 🎧 58 **Écoutez et écrivez les phrases.**

a. ....

b. ....

c. ....

d. ....

e. ....

COMMUNIQUER

10 Numérotez le dialogue dans l'ordre.

...1... – Bonjour, je peux vous renseigner ?

.... – Merci. Est-ce que vous avez un manteau gris et décontracté ?

.... – Ils sont avec les blousons, à côté des chemises. Suivez-moi !

.... – Oui, s'il vous plaît. Où sont vos manteaux pour l'hiver ?

.... – Un manteau gris ?... Oui. Regardez ce modèle ! Quelle est votre taille ?

.... – Oui, c'est à droite des caisses, derrière les chaussures.

.... – Taille 40. Je peux essayer ?

11 Observez le salon de Leila et répondez aux questions.

Ex. : – Où est sa chemise ?
  – Elle est sur la table.

a. – Où sont ses bottes ?

  – ....

b. – Où est sa ceinture ?

  – ....

c. – Où est son stylo vert ?

  – ....

d. – Où est son foulard rouge ?

  – ....

e. – Où sont ses baskets ?

  – ....

f. – Où est son livre ?

  – ....

PHONÉTIQUE

◖ Les sons [i] et [ɛ]

12 🎧 59 **Écoutez trois mots. Quel mot est différent ? Cochez (✓) la bonne réponse.**

	Ex.	a.	b.	c.	d.	e.	f.	g.	h.
Mot 1									
Mot 2									
Mot 3	✓								

UNITÉ
5
BILAN

📖 Compréhension écrite 10 points

1 Lisez la conversation entre Lise et sa mère. Répondez (✔) aux questions.

MAMAN

Lise Maman, tu es où ?

Maman Je suis dans la voiture, à 10 minutes de la maison. Et toi ?

Lise Dans une boutique. J'essaie une robe pour l'été.

Maman Tu as une photo ?

Lise Oui ! Regarde ! Tu aimes ? Cette robe est à 79 euros !

Maman Elle est confortable ?

Lise Oui... Et la couleur ? Tu aimes ?

Maman Je n'aime pas le vert. Il y a quelles couleurs ?

Lise Bleu et blanc. Il y a une promotion. 59 euros pour la robe bleue !

Maman Ce n'est pas cher. Tu vas acheter cette robe ?

Lise Oui !!!

a. Où est Lise ? *2 points*
- ☐ Chez elle.
- ☐ Dans une voiture.
- ☐ Dans une boutique.

b. Qu'est-ce qu'elle fait ? *3 points*
- ☐ Elle commande des chaussures bleues.
- ☐ Elle essaie un vêtement pour l'été.
- ☐ Elle prend des photos d'un défilé de mode.

c. Quelles sont les couleurs de la robe ? *3 points*
- ☐ ☐
- ☐ ☐
- ☐ ☐
- ☐ ☐
- ☐ ☐

d. Combien coûte la robe bleue ? *2 points*
- ☐ 79 euros.
- ☐ 59 euros.
- ☐ 60 euros.

🎧 Compréhension orale 10 points

2 a. 🎧 60 **Écoutez Sarah et Élie. Cochez (✔) la bonne réponse.** *2 points par bonne réponse*

a. Sarah et Élie organisent...
- ☐ une fête avec des amis.
- ☐ une visite de la ville.
- ☐ un dîner au restaurant.

b. La soirée commence à...
- ☐ 18 heures.
- ☐ 19 heures.
- ☐ 20 heures.

c. Élie ne va pas faire les courses avec Sarah...
- ☐ parce qu'il travaille.
- ☐ parce qu'il prépare le dîner.
- ☐ parce qu'il va au cinéma.

d. Sarah va acheter...
- ☐ un foulard.
- ☐ une ceinture.
- ☐ un chapeau.

b. 60 **Réécoutez le dialogue. Entourez la photo d'Élie à la soirée.**   *2 points*

1.

2.

3.

Expression écrite   10 points

3 **Dans son blog, Clotilde décrit son quotidien. Observez les photos et complétez le message.**

Expression orale   10 points

4 **Qu'est-ce que vous faites le week-end ? Parlez de vos activités et des tâches ménagères. Situez les activités dans le temps et indiquez la chronologie.**

Ex. : Je me lève à 9 heures et je prends mon petit déjeuner.

Faire une recette

COMPRENDRE

1 🎧 61 **Écoutez la recette.**
Entourez les ingrédients entendus.

a

b

c

d

e

f

g

h

i

j

k

l

2 Lisez et complétez la recette avec :

~~Temps~~ · Niveau · Ustensiles · Personnes · Préparation ·
Coût · Ingrédients · Idée du chef

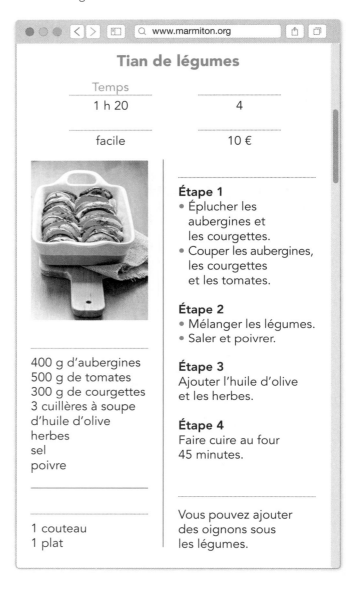

www.marmiton.org

Tian de légumes

Temps	
1 h 20	4
facile	10 €

400 g d'aubergines
500 g de tomates
300 g de courgettes
3 cuillères à soupe
d'huile d'olive
herbes
sel
poivre

1 couteau
1 plat

Étape 1
• Éplucher les
  aubergines et
  les courgettes.
• Couper les aubergines,
  les courgettes
  et les tomates.

Étape 2
• Mélanger les légumes.
• Saler et poivrer.

Étape 3
Ajouter l'huile d'olive
et les herbes.

Étape 4
Faire cuire au four
45 minutes.

Vous pouvez ajouter
des oignons sous
les légumes.

VOCABULAIRE

◖ Les ingrédients

3 **Complétez les ingrédients avec :**

les condiments · le bœuf · le poivre · les légumes · la tomate · le thym · l'agneau · le sel · le poivron rouge

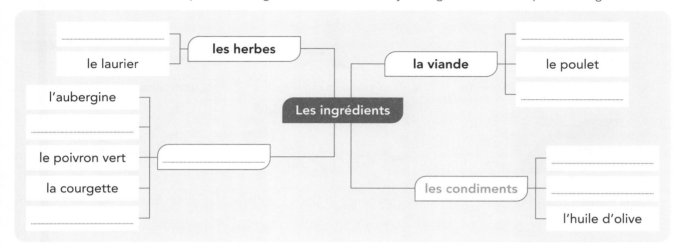

les herbes

....

le laurier

la viande

....

le poulet

l'aubergine

....

Les ingrédients

le poivron vert

....

la courgette

....

les condiments

....

....

l'huile d'olive

◖ Les ustensiles de cuisine et les appareils électroménagers

4 **Barrez l'intrus.**

Ex. : une poêle · un saladier · une casserole

a. une fourchette · un couteau · une poêle

b. une cuillère · une casserole · une cocotte

c. un saladier · une passoire · une aubergine

d. un moule · une cuisinière · un four

e. une cuillère · une cocotte · une fourchette

f. un couteau · une cuillère · un saladier

◖ Les étapes culinaires

5 **À l'aide des photos, complétez les étapes de la recette avec :**

éplucher · ajouter · mélanger · couper · faire chauffer · faire cuire

Pour préparer la purée de pommes de terre...

1. Éplucher les pommes de terre.

2. .... les pommes de terre.

3. .... les pommes de terre dans une casserole avec de l'eau et du sel.

4. .... le lait et le beurre.

5. ....

6. .... doucement 10 minutes.

1

2

3

4

5

6

Leçon 20   # Faire une recette

◖ La quantité

6 Entourez la bonne quantité.

Ex. : 200 kilos · *grammes* de poisson

a. deux gousses · **feuilles** d'ail

b. une fourchette · **cuillère** de sucre

c. une feuille · **un brin** de laurier

d. 100 grammes · **1 kilo** de pommes

e. un brin · **une gousse** de thym

GRAMMAIRE

◖ La quantité déterminée (2)

7 À l'aide des photos, complétez avec *beaucoup de / d', peu de / d', pas de / d'.*

Ex. : Dans la ratatouille, il y a beaucoup de légumes.

a. Il coupe _____ viande.

b. Sur la pizza, il y a _____ herbes.

c. Dans les spaghettis, il n'y a _____ tomate.

d. Sur le gâteau, il y a _____ fruits.

e. Dans le tian, il n'y a _____ poulet.

Ex.

a.

c.

b.

d.

e.

◖ L'infinitif pour écrire une recette

8 Transformez les phrases à l'infinitif.

Ex. : Je n'épluche pas les poivrons. → Ne pas éplucher les poivrons.

a. Vous faites chauffer de l'huile. → _____

b. Tu coupes les courgettes. → _____

c. Je ne fais pas cuire les tomates. → _____

d. Vous mélangez les légumes et la viande. → _____

e. Tu n'ajoutes pas de sel. → _____

f. Je fais cuire au four. → _____

◀ Le verbe *manger* au présent

9 **Conjuguez le verbe *manger* au présent.**

Ex. : Qu'est-ce que vous mangez au dîner ?

a. – Tu _____ à quelle heure aujourd'hui ?

– Je _____ à 13 heures.

b. – Vous ne _____ pas de poulet ?

– Non, nous ne _____ pas de viande, nous préférons les légumes.

c. – Les Français _____ beaucoup de pain. Et dans ton pays ?

– En Italie, nous _____ beaucoup de pâtes.

d. – Le soir, je _____ un peu de viande et beaucoup de légumes. Et toi, qu'est-ce que tu _____ ?

– Moi je _____ un peu de légumes ou de la salade. Mon mari, lui, _____ du poisson.

10 🎧 62 **Écoutez. Indiquez si la prononciation des verbes est identique (=) ou différente (≠).**

Ex.	a.	b.	c.	d.	e.	f.
=						

COMMUNIQUER

11 **Lisez la préparation de la recette et écrivez les ingrédients.**

Salade italienne

Ingrédients pour 4 personnes

- 300 grammes de pâtes
- 4 _____
- 1 _____
- 200 grammes de _____
- 4 cuillères à soupe d' _____
- Un peu de _____

Préparation

- Étape 1 : Faire cuire les pâtes.
- Étape 2 : Couper les tomates et l'oignon rouge.
- Étape 3 : Mélanger les pâtes, les tomates et l'oignon.
- Étape 4 : Ajouter le fromage italien.
- Étape 5 : Ajouter l'huile d'olive et le sel.

PHONÉTIQUE

◀ Le son [j]

12 🎧 63 **Écoutez et cochez (✔) quand vous entendez le son [j].**

	Ex.	a.	b.	c.	d.	e.	f.	g.	h.
J'entends [j]	✔								

Commander au restaurant

COMPRENDRE

1 🎧 64 **Écoutez. Écrivez la commande du serveur.**

Table n° **12**
_____

Commande

Entrées
    1 Guacamole
_____

Plats
_____
_____

Desserts
_____

Boissons
_____
_____

2 Numérotez le dialogue dans l'ordre.

_1_ – Bonjour, vous avez réservé ?

_____ – J'ai une table pour deux personnes.

_____ – Bien sûr. Voilà la carte.

_____ – Oui, deux formules midi s'il vous plaît.

_____ – Non, nous n'avons pas réservé.

_____ – Une carafe d'eau et un pichet de vin.

_____ – Vous désirez un apéritif ?

_____ – D'accord, merci.

_____ – Et comme boisson ?

_____ – Non merci. On peut voir la carte s'il vous plaît ?

_____ – Vous avez choisi ?

VOCABULAIRE

◖ Les mots du restaurant

3 Complétez la carte du restaurant avec :
salade de fruits · desserts · plats · entrée · formule ·
boisson · courgettes

Restaurant « Chez Coco »

_____ du jour

_____

Guacamole

. . . .

_____

Filet de poisson et _____
ou
Salade italienne

. . . .

_____

Glace au chocolat
ou
Salade de fruits

. . . .

_____

Pichet de vin

4 a. **À l'aide des photos, complétez la grille avec les mots du restaurant.**

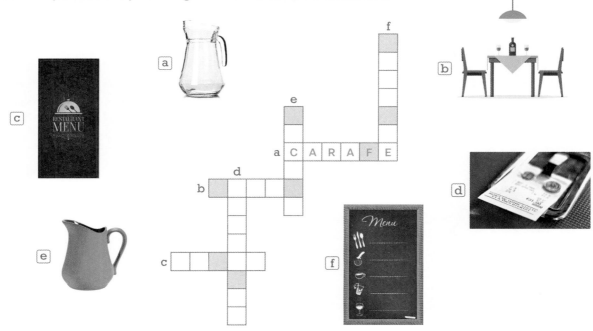

b. **Écrivez le mot mystère avec les lettres ☐.**

A								

5 **Entourez** **la bonne réponse.**

Ex. : C'est votre table. Vous désirez un **dessert** · **apéritif** ?

a. Nous avons fini. **L'addition** · **La formule** s'il vous plaît !

b. Vous prenez un **dessert** · **apéritif** après le plat ?

c. Nous avons **l'addition** · **la formule** du jour avec entrée, plat et dessert.

d. Comme **boissons** · **table**, nous avons du vin ou de l'eau.

e. Nous avons réservé **une table** · **un dessert** pour six personnes.

f. C'est **l'addition** · **la carte** des desserts.

GRAMMAIRE

Le passé composé (1) avec *avoir*

6 **Soulignez la bonne réponse.**

Ex. : Il ont · **a** téléphoné pour réserver une table.

a. Tu **as** · **ai** choisi la formule midi ?

b. Ils **avons** · **ont** demandé l'addition après le repas.

c. Nous **avez** · **avons** dîné dans un restaurant italien.

d. J'**ai** · **as** commandé un dessert.

e. Vous **ont** · **avez** fini votre plat ?

f. Elle **ai** · **a** mangé un délicieux poulet Palava.

Commander au restaurant

◖ Les participes passés en *-é* et *-i*

7 **Classez les participes passés des verbes :**

manger · finir · déjeuner · commander · choisir · réserver · dîner · payer · dormir · saisir · parler · demander

Participes passés en *-é*	Participes passés en *-i*
mangé	

◖ Le passé composé (1) pour raconter des événements passés

8 **Conjuguez les verbes au passé composé.**

Ex. : Nous avons déjeuné au restaurant vendredi.

a. – Vous _____ (choisir) ?

– Oui, nous _____ (choisir) la formule déjeuner.

b. – Tu _____ (réserver) une table ?

– Oui, j' _____ (téléphoner) pour réserver.

c. – Il _____ (commander) une salade du chef ?

– Non, il _____ (choisir) un filet de poisson.

d. – Elles _____ (dîner) dans un restaurant chinois ?

– Non, elles _____ (manger) à la maison.

e. – Vous _____ (payer) l'addition ?

– Oui, nous _____ (payer) le repas.

◖ Le pronom personnel sujet *on*

9 **Complétez les verbes.**

Ex. : On command**e** les desserts ?

a. On mang_____ une délicieuse ratatouille.

b. Nous réserv_____ une table au restaurant coréen.

c. Nous pren_____ une carafe d'eau.

d. On déjeun_____ au restaurant ce midi ?

e. Nous pay_____ l'addition des quatre formules.

f. On chois_____ le menu Express.

▶ Dictée

10 🎧 65 **Écoutez et écrivez les phrases.**

a. ....

b. ....

c. ....

d. ....

COMMUNIQUER

11 **Qui parle ? Cochez (✔) la bonne réponse.**

	le serveur	le client
Ex. : Qu'est-ce que vous prenez comme dessert ?	✔	☐
a. On pourrait avoir la carte ?	☐	☐
b. Vous avez fini ?	☐	☐
c. Et comme boisson ?	☐	☐
d. L'addition s'il vous plaît.	☐	☐
e. Vous avez réservé une table ?	☐	☐
f. Une formule déjeuner s'il vous plaît.	☐	☐

12 **Lisez la commande et complétez le dialogue.**

Table n° **12**
_____

Commande

Entrée
    I salade de tomates

Plat
    I saumon aux poivrons

Dessert
    I glace vanille

Boisson
    I carafe d'eau

Le serveur : Bonjour monsieur ! Vous désirez **un apéritif** ?

Le client : Non merci. Je peux ...., s'il vous plaît ?

Le serveur : ....

Le client : Merci.

Le serveur : Vous avez choisi ?

Le client : Oui, en entrée ....

Le serveur : Et comme plat ?

Le client : ....

Le serveur : ....

Le client : Oui, une glace vanille.

Le serveur : Vous prenez une boisson ?

Le client : ...., s'il vous plaît.

Le serveur : Vous avez fini ?

Le client : ...., s'il vous plaît.

PHONÉTIQUE

◀ Les sons [E] et [ɛ̃]

13 🎧 66 **Écoutez. Vous entendez le son [E] ou le son [ɛ̃] ? Cochez (✔) la bonne réponse.**

	Ex.	a.	b.	c.	d.	e.	f.	g.	h.
[E]									
[ɛ̃]	✔								

COMPRENDRE

1 🎧 67 **Écoutez la chronique radio. Numérotez les photos dans l'ordre de l'histoire.**

1.

a.

b.

c.

d.

e.

2 **Lisez le message de Chan sur le forum. Cochez (✔) la bonne réponse.**

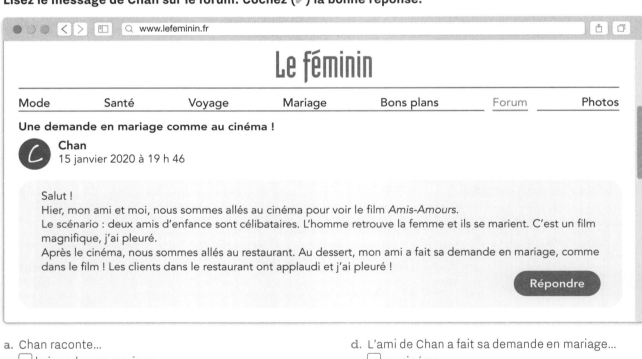

a. Chan raconte…
- le jour de son mariage.
- la demande en mariage de son ami.
- la rencontre avec son fiancé.

b. Chan et son ami sont allés…
- d'abord au cinéma, puis au restaurant.
- d'abord au restaurant, puis au cinéma.
- d'abord au cinéma, puis à la maison.

c. Dans le film, un homme…
- fait sa demande en mariage au restaurant.
- retrouve une amie et ils se marient.
- entre dans un cinéma.

d. L'ami de Chan a fait sa demande en mariage…
- au cinéma.
- au restaurant.
- à la maison.

e. Les clients dans le restaurant…
- ont applaudi.
- ont pleuré.
- sont sortis.

f. Dans le restaurant, Chan…
- a applaudi.
- a pleuré.
- est sortie.

VOCABULAIRE

◖ Le temps

3 (Entourez) la bonne réponse.

Ex. : Hier · (Aujourd'hui) · Demain, lundi 10 février, je travaille. ·

a. **Hier** · **Aujourd'hui** · **Demain**, mardi 11 février, je vais partir en voyage.

b. J'ai acheté mes billets de train **hier** · **aujourd'hui** · **demain**.

c. J'ai téléphoné à Amine **hier** · **aujourd'hui** · **demain**.

d. Lundi 10 février, **hier** · **aujourd'hui** · **demain**, je déjeune avec mes collègues.

e. Mardi 11 février, **hier** · **aujourd'hui** · **demain**, je vais téléphoner à mes parents.

f. Je suis allé au cinéma voir un film, **hier** · **aujourd'hui** · **demain**, dimanche.

Février **2020**						
L	M	M	J	V	S	D
					1	2
3	4	5	6	7	8	9
⑩	11	12	13	14	15	16
17	18	19	20	21	22	23
24	25	26	27	28	29	

◖ Le cinéma

4 **Complétez le commentaire avec :**

~~cinéma~~ · la bande-annonce · la salle de cinéma · ce film · un film · les spectateurs · le scénario

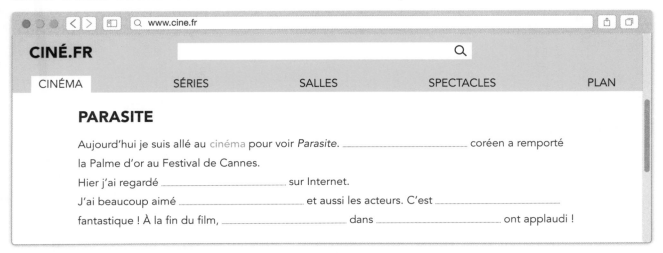

CINÉ.FR

| CINÉMA | SÉRIES | SALLES | SPECTACLES | PLAN |

PARASITE

Aujourd'hui je suis allé au cinéma pour voir *Parasite*. _____ coréen a remporté

la Palme d'or au Festival de Cannes.

Hier j'ai regardé _____ sur Internet.

J'ai beaucoup aimé _____ et aussi les acteurs. C'est _____

fantastique ! À la fin du film, _____ dans _____ ont applaudi !

GRAMMAIRE

◖ Le passé composé (2) pour raconter des événements passés

5 <u>Soulignez</u> la bonne réponse.

Ex. : Igor, tu **as** · es allé au cinéma hier ?

a. – Hier soir Luc et moi, nous **sommes** · **avons** allés au cinéma.

   – Vous **avez** · **êtes** regardé quel film ?

   – Luc **est** · **a** choisi : *Le Grand Bain*.

b. – Tu **as** · **es** fait bon voyage ?

   – Oui, **j'ai** · **je suis** visité Lyon.

   – Tu **a** · **es** partie à quelle heure ?

   – À 8 heures, **j'ai** · **je suis** déjeuné à Lyon et **j'ai** · **je suis** arrivée à Paris à 20 heures.

c. – Hier **j'ai** · **je suis** dîné chez mes amis espagnols.

   – Tu **as** · **es** mangé un plat espagnol ?

   – Oui, ils **sont** · **ont** préparé des empanadas. Délicieux !

d. – Ali **a** · **est** fait sa demande en mariage à Nora !

   – Nora **a** · **est** aimé la bague ?

   – Oui, elle **a** · **est** pleuré.

Leçon 22 — Raconter un événement

+ 6 Conjuguez les verbes au passé composé.

De : Maria Agopian

à : Alberta Lopez

Objet : Un nouveau couple !

Salut Alberta

Ce week-end j'ai vu (voir) Emma.

Il y a six mois, elle _____ (faire) un voyage aux Philippines en groupe.

Dans le groupe, elle _____ (devenir) amie avec Daniel.

Ils _____ (visiter) les Philippines, puis ils _____ (retourner) en France

mais ils _____ (ne pas rester) amis… Ils sont aujourd'hui en couple !

Ils vont se pacser en juillet. Sympa, non ?
Bises
Maria

◖ D'abord (2), puis, ensuite pour exprimer la chronologie

7 Numérotez les phrases dans l'ordre. Complétez avec *d'abord*, *puis* et *ensuite*.

Ex. : 2 Puis, il a donné la bague.
    1 D'abord, il a choisi une bague.
    3 Ensuite, elle a pleuré.

a. ☐ _____ , ils ont regardé un film.
  ☐ _____ , ils sont entrés dans la salle.
  ☐ _____ , ils sont sortis du cinéma.

b. ☐ _____ , elle a payé l'addition.
  ☐ _____ , elle a regardé la carte.
  ☐ _____ , elle a commandé une salade.

c. ☐ _____ , il a épluché les oignons.
  ☐ _____ , il a fait cuire les oignons.
  ☐ _____ , il a coupé les oignons.

d. ☐ _____ , il a rencontré Mona.
  ☐ _____ , il a fait sa demande en mariage.
  ☐ _____ , ils se sont mariés.

◖ Il y a pour indiquer un moment précis dans le passé

8 Transformez les phrases avec *il y a*.

Ex. : Je suis arrivé à Montréal en 2016. Nous sommes en 2020.
    → Je suis arrivé à Montréal il y a quatre ans.

a. Je suis arrivée au cinéma à 20 heures. Il est 22 heures.
  → _____

b. Tu as demandé Kerstin en mariage en avril. Nous sommes en août.
  → _____

c. J'ai vu cette photo en 2015. Nous sommes en 2020.
  → _____

d. Maria a vu un film mardi. Nous sommes vendredi.
  → _____

COMMUNIQUER

9 **Racontez l'histoire de Fatou et Oumar.**

 a

 b

 c

a. D'abord, Oumar a rencontré Fatou sur Internet.

b. _____

c. _____

11 **Lisez la chronologie de la rencontre de Hua et Feng. Écrivez un court article sur leur histoire.**

> **2018** : Feng commence un cours de portugais.
> **Septembre 2019** : Hua entre dans la classe de portugais.
> **Janvier 2020** : Feng invite Hua au restaurant.
> **Avril 2020** : Hua et Feng vont au Portugal. Feng demande Hua en mariage.
> **Octobre 2020** : Ils se marient.

INSPIRE MAG

3 septembre 2020

Une nouvelle vie !

Il y a deux ans, Feng a commencé un cours de portugais. _____

_____

_____

_____

Ils vont se marier !

Culture(s)

◖ Le mariage en France

12 **Répondez aux questions.**

a. En France, où les couples se marient-ils ? _____

b. Comment s'appelle l'autre forme d'union civile ? _____

Compréhension orale 8 points

1 🎧 68 **Pablo raconte sa demande en mariage. Écoutez et numérotez les photos dans l'ordre de l'histoire. Attention, il y a deux intrus.**

a. ☐

b. ☐

c. ☐

d. ☐

e. ☐

f. ☐

 **Compréhension écrite** 12 points

2 Lisez l'avis sur un site Internet. Répondez aux questions.

https://www.les-restaurants-de-ma-ville.fr

Chez Marcel

●●●●● 721 avis   Spécialités françaises

📍 2 place de la Gare 67000 Strasbourg   📞 03 62 26 33 06

Jo840,
Strasbourg,
France

●●●●● Avis publié il y a 6 jours

Repas en amoureux

Nous avons dîné dans le restaurant avec ma copine mardi soir et nous avons adoré !
J'ai choisi une salade et ma copine a mangé un filet de cabillaud : délicieux !
Comme boisson, nous avons demandé du vin blanc, mais le serveur a apporté du
vin rouge !!! Nous n'avons pas payé les desserts ! Repas pas cher !
Nous allons retourner dans ce restaurant pour notre mariage en mars.

a. Le restaurant « Chez Marcel » est dans quelle ville ?   *1 point*

→ ....

b. Est-ce que le client a aimé le restaurant ?   *1 point*

→ ....

c. Le client est allé dans ce restaurant le midi ou le soir ?   *1 point*

→ ....

d. Qu'est-ce que le client a mangé ?   *1 point*

→ ....

e. Ils ont choisi quelle boisson ?   *2 points*

→ ....

f. Est-ce qu'ils ont mangé un dessert ?   *2 points*

→ ....

g. Ont-ils payé cher ?   *2 points*

→ ....

h. Est-ce qu'ils vont retourner dans ce restaurant ?   *2 points*

→ ....

Production écrite   10 points

3 **Lisez le mémo de Louane. Racontez sa journée dans son journal.**   *2 points par phrase*

30 janvier 2020
12 h : déjeuner avec Yasmina
Après-midi : regarder
les bandes-annonces sur
Internet et choisir un film
20 h : boire un verre avec
Patrick
Soir : téléphoner à Gonzalo

Jeudi 30 janvier 2020,

....

....

....

....

....

....

Production orale   10 points

4 **Racontez le dimanche de Wilfried.**

COMPRENDRE

1 🎧 69 **Écoutez. Associez le bon conseil au problème.**

Ex. : Vous devez vous reposer !

a. Vous avez une laryngite. Buvez ce sirop. → Problème n° ....

b. Ne vous penchez pas pour ramasser un objet. → Problème n° ....

c. Il faut prendre rendez-vous avec un tabacologue. → Problème n° ....

d. Ne mangez pas de sucre et lavez-vous les dents après les repas. → Problème n° ....

e. Prenez un paracétamol et consultez votre médecin. → Problème n° ....

f. Demandez une ordonnance à votre docteur. → Problème n° ....

2 **Lisez les e-mails. Cochez (✔) la bonne réponse.**

De : claudiovicente@gmail.com
à : docteurali78120@hotmail.fr
Objet : Consultation

12 mars 2020 12 h 18

Bonjour Docteur,
J'ai consulté la semaine dernière pour un mal de dos. J'ai des petites douleurs depuis dix jours. Qu'est-ce que je peux faire s'il vous plaît ?
Merci de vos conseils.
Claudio Vicente

De : docteurali78120@hotmail.fr
à : claudiovicente@gmail.com
Objet : Re : Consultation

12 mars 2020 14 h 16

Monsieur Vicente,
Vous avez consulté la semaine dernière et vous avez des douleurs au dos ? Voici mes conseils.
J'ai fait une ordonnance. Prenez votre traitement. Faites un peu de sport la semaine. Reposez-vous le week-end. Couchez-vous à 22 heures. Ne prenez pas d'antibiotiques. Buvez beaucoup. Vous pouvez manger un peu de viande mais ne buvez pas de vin. Vous avez des douleurs la nuit ? Prenez du paracétamol. Vous avez beaucoup de fièvre (+ 39 °C) ? Appelez-moi ou venez consulter.

Docteur Ali
Cabinet du Parc – 29, rue Auguste Blanqui – 78120 Rambouillet
Tél. : 01 56 78 89 87

a. Claudio Vicente a écrit à son médecin pour...

☐ prendre rendez-vous.   ☐ demander des médicaments.   ☐ demander des conseils.

b. Claudio Vicente a mal au/aux...

1. ☐   2. ☐   3. ☐

c. Claudio Vicente peut...

☐ jouer au foot le dimanche.   ☐ boire du vin.   ☐ manger un petit steak.

d. Claudio Vicente a mal au dos la nuit, il doit...

☐ téléphoner au docteur.   ☐ prendre un médicament.   ☐ boire de l'eau.

VOCABULAIRE

◖ Les parties du corps

3 Légendez le dessin avec :

~~le ventre~~ • la tête • la main • le bras • la bouche • le cou • le pied • les yeux • le dos • la jambe

a. _____

f. _____

b. _____

g. _____

c. _____

h. _____

d. _____

le ventre

e. _____

i. _____

◖ Les professions (2) : la santé

4 Complétez les professions de santé.

Ex. : un médecin
une médecin

a. un t_____
une t_____

b. un i_____
une i_____

c. un p_____
une p_____

d. un d_____
une d_____

e. un p_____
une p_____

◖ Les symptômes, les maladies, le traitement

5 <u>Soulignez</u> **la bonne réponse.**

Ex. : Irène a 39 °C, elle a mal à la tête : c'est <u>la grippe</u> · le sirop !

a. Donnez cette **maladie** · **ordonnance** à votre pharmacien.

b. Ma fille a un peu de **fièvre** · **symptômes** : 38 °C ce matin.

c. Tu as mal à la gorge : prends ce **sirop** · **rhume** !

d. On a souvent des **symptômes** · **maladies** en hiver, par exemple la laryngite.

e. Docteur, quels sont les **symptômes** · **maladies** de la rhinite ?

f. Tu as des **douleurs** · **maladies** aux dents : il faut prendre un paracétamol.

g. Il fait froid : habille-toi ou tu vas avoir un **fièvre** · **rhume** !

GRAMMAIRE

◖ L'impératif (3) des verbes pronominaux

6 **Répondez à la question avec le verbe à l'impératif.**

Ex. : Je peux me coucher, s'il te plaît ?   → Oui, couche-toi.

a. Je peux m'asseoir, s'il vous plaît ?   → Oui, _____

b. Je peux me lever, s'il vous plaît ?   → Non, _____

c. Je peux m'accroupir, s'il te plaît ?   → Non, _____

d. Je peux me laver, s'il te plaît ?   → Oui, _____

e. Je peux me reposer, s'il vous plaît ?   → Oui, _____

f. Je peux me pencher, s'il te plaît ?   → Non, _____

◖ L'impératif (2) pour donner des conseils

7 **À l'aide des photos, donnez des conseils à la forme négative.**

Ex. : manger – sucre (vous)   → Ne mangez pas de sucre.

a. fermer – bouche (vous)   → _____

b. fumer – dans la voiture (tu)   → _____

c. se lever – aujourd'hui (vous)   → _____

d. boire – ce vin (tu)   → _____

e. utiliser – ces antibiotiques (vous) → _____

Ex.

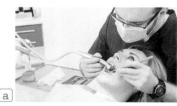
a

b

c

d

e

◀ *Il faut / Il ne faut pas* + infinitif pour donner des conseils

8 **Donnez des conseils avec *il faut* ou *il ne faut pas*.**

Ex. : J'ai mal à la gorge.
(boire un sirop) Il faut boire un sirop.
(fumer) Il ne faut pas fumer.

a. J'ai des douleurs aux dents.
(aller chez le dentiste) ....
(manger du sucre) ....

b. J'ai la grippe.
(prendre des antibiotiques) ....
(boire beaucoup d'eau) ....

c. J'ai mal au dos.
(s'accroupir le dos droit) ....
(se pencher pour mettre ses chaussures) ....

◀ Le verbe *connaître* au présent

9 **Conjuguez le verbe *connaître* au présent.**

Ex. : Elle veut arrêter de fumer ? Est-ce qu'elle connaît un bon tabacologue ?

a. Tu veux un traitement pour soigner la rhinite ? Est-ce que tu .... ce médicament ?

b. Ils ont mal aux dents ? Est-ce qu'ils .... un bon dentiste ?

c. Je .... cette infirmière. Elle travaille à l'hôpital.

d. On ne .... pas ce médecin. Est-ce qu'il est sérieux ?

e. Vous avez les symptômes de la grippe. Est-ce que vous .... un bon médecin ?

f. Nous ne .... pas ce sirop. Est-ce qu'il faut une ordonnance ?

D Dictée

10 🎧 70 **Écoutez et écrivez les phrases.**

a. ....
b. ....
c. ....
d. ....
e. ....

COMMUNIQUER

11 **Numérotez les phrases dans l'ordre chronologique.**

.... Le médecin conseille un sirop et des médicaments.

...1... J'ai mal à la gorge et j'ai de la fièvre.

.... Je vais chez le médecin.

.... Je donne mon ordonnance au pharmacien.

.... Le médecin fait une ordonnance.

.... Je prends du sirop et des médicaments.

.... Le médecin observe ma gorge.

.... Je vais à la pharmacie.

Proposer un projet

COMPRENDRE

1 Lisez l'article. Cochez (✔) la bonne réponse.

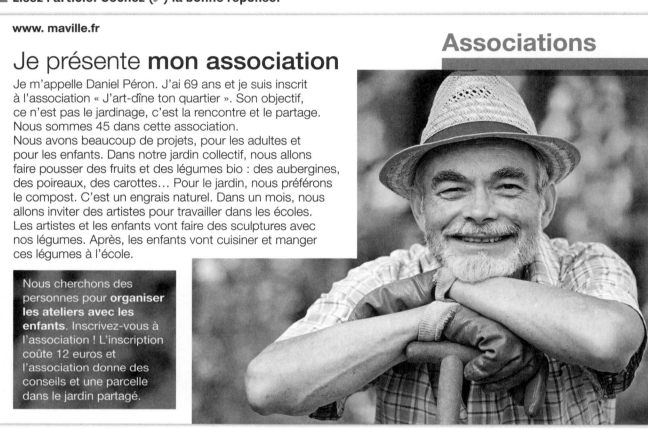

www. maville.fr

Je présente **mon association**

Je m'appelle Daniel Péron. J'ai 69 ans et je suis inscrit à l'association « J'art-dîne ton quartier ». Son objectif, ce n'est pas le jardinage, c'est la rencontre et le partage. Nous sommes 45 dans cette association.

Nous avons beaucoup de projets, pour les adultes et pour les enfants. Dans notre jardin collectif, nous allons faire pousser des fruits et des légumes bio : des aubergines, des poireaux, des carottes… Pour le jardin, nous préférons le compost. C'est un engrais naturel. Dans un mois, nous allons inviter des artistes pour travailler dans les écoles. Les artistes et les enfants vont faire des sculptures avec nos légumes. Après, les enfants vont cuisiner et manger ces légumes à l'école.

Nous cherchons des personnes pour **organiser les ateliers avec les enfants**. Inscrivez-vous à l'association ! L'inscription coûte 12 euros et l'association donne des conseils et une parcelle dans le jardin partagé.

Associations

a. Quel est l'objectif de l'association « J'art-dîne ton quartier » ?
☐ Jardiner avec des enfants.   ☐ Rencontrer des voisins.   ☐ Produire beaucoup de légumes.

b. Combien de personnes sont inscrites à l'association ?
☐ 20 personnes.   ☐ 30 personnes.   ☐ 45 personnes.

c. Qu'est-ce que les artistes vont faire avec les enfants ?

1. ☐   2. ☐   3. ☐

d. Qu'est-ce que les enfants font après l'atelier ?
☐ Ils vendent les légumes.   ☐ Ils mangent les légumes.   ☐ Ils font du jardinage.

e. Après l'inscription, qu'est-ce que donne l'association ?
☐ Des légumes bio et du compost.
☐ Un jardin privé et des fruits.
☐ Des conseils et une parcelle de jardin.

VOCABULAIRE

◀ **Les indicateurs du futur**

2 **Lisez le dialogue et écrivez la date de l'activité.**

– Aujourd'hui, 12 février, c'est la réunion de l'association.
L'atelier « Les petits sculpteurs » avec l'école ? C'est quand ?
– C'est demain. Les enfants et leur professeur vont arriver à dix heures.
– D'accord. Je dois aussi organiser l'activité « Plantation de tomates » ?
Tu as la date ?
– Oui, les tomates, c'est la semaine prochaine ! Tu préfères quel jour ?
Mercredi ou jeudi ?
– Jeudi, c'est parfait. Je vais écrire la date et préparer la parcelle.
– Nous devons présenter l'association à la mairie. C'est aussi
cette semaine ?
– Non, c'est fini depuis deux jours.

FÉVRIER
Lun Mar Mer Jeu Ven Sam Dim
1   2
3   4   5   6   7   8   9
10 11 (12) 13 14 15 16
17 18 19 20 21 22 23
24 25 26 27 28 29

Nom de l'activité	Date
La réunion de l'association	Mercredi 12 février
L'atelier « Les petits sculpteurs »	
L'atelier « Plantation de tomates »	
La présentation de l'association à la mairie	

◀ **Le projet**

3 **Quelles phrases expriment un but ou un objectif ? Cochez (✔) ces phrases.**

a. ☐ Cette association organise une exposition : la végétalisation des villes.

b. ☑ C'est une association pour aider les personnes malades.

c. ☐ L'association veut partager la production de légumes bio.

d. ☐ Pour un couple, l'inscription à l'association coûte cent euros.

e. ☐ L'association organise des ateliers pour les enfants.

f. ☐ Vous devez vous inscrire à cette association parce qu'elle respecte l'environnement.

g. ☐ Mon association veut planter 1 000 arbres pour embellir les villes.

h. ☐ La réunion d'information est dans deux semaines.

◀ **Le jardin et l'environnement**

4 **Complétez les phrases avec :**

compost • parcelles • respecter • planter • jardinage • engrais • végétaliser

Ex. : Choisissez l'objectif écologique, faites du compost.

a. On ajoute un _____ naturel pour faire pousser les légumes bio.

b. On fait des plantations sur les toits pour _____ la ville.

c. Dans un jardin collectif, il y a des _____ pour les personnes de l'association.

d. Manger bio, c'est _____ l'environnement.

e. Dans deux semaines, je vais _____ des courgettes.

f. J'habite à Paris depuis vingt ans, je ne connais rien au _____ .

Leçon 25 **Proposer un projet**

GRAMMAIRE

◀ *Pourquoi* et *parce que* pour exprimer la cause

5 🎧 71 **Écoutez les réponses. Associez les questions aux réponses.**

Ex. : Pourquoi est-ce que vous vous inscrivez à cette association ? → Réponse n° ___5___

a. Pourquoi est-ce que tu n'achètes pas de légumes bio ? → Réponse n° _____

b. Pourquoi est-ce qu'il faut faire du compost ? → Réponse n° _____

c. Pourquoi est-ce que tu ne connais rien au jardinage ? → Réponse n° _____

d. Pourquoi est-ce que vous avez planté des tomates ? → Réponse n° _____

e. Pourquoi est-ce que la mairie organise une réunion d'information ? → Réponse n° _____

◀ Le futur proche (2) des verbes pronominaux

6 **Conjuguez les verbes pronominaux au futur proche.**

Ex. : Mon père va se doucher (se doucher) parce qu'il a utilisé un engrais chimique.

a. Les enfants ont jardiné de huit heures à midi et cet après-midi, ils _____ (se reposer).

b. Je _____ (s'inscrire) à cette association parce que j'adore partager du temps avec mes voisins.

c. Nous _____ (se présenter) et après, la réunion va commencer.

d. On _____ (se coucher) avant dix heures ce soir parce qu'il faut planter les tomates demain matin à 6 heures.

e. Tu _____ (s'habiller) pour mélanger le compost au jardin ?

f. Vous _____ (se lever) dans quinze minutes pour jardiner !

◀ *Dans* pour situer dans le futur

➕7 **Répondez aux questions avec *dans* pour situer dans le futur.**

Ex. : Lou a fait les courses il y a trois jours ?
→ Non, elle va faire les courses dans trois jours.

a. La mairie a ouvert ce jardin collectif il y a un mois ?
→ Non, elle _____

b. Paolo et Pedro sont partis il y a deux semaines ?
→ Non, ils _____

c. Jamila est allée à l'association il y a trois jours ?
→ Non, elle _____

d. Nos parents sont arrivés il y a deux heures dans le jardin collectif ?
→ Non, ils _____

e. Jurgen a planté les tomates il y a deux jours ?
→ Non, il _____

f. Le professeur a expliqué le projet il y a dix minutes ?
→ Non, il _____

▶ **Dictée**

8 🎧 72 **Écoutez et écrivez les phrases.**

a. ....

b. ....

c. ....

d. ....

e. ....

COMMUNIQUER

9 🎧 73 **Écoutez les questions des membres de l'association. Associez ces questions aux réponses.**

Ex. : Non, jamais. Je ne connais rien au jardinage.

a. Oui, je suis arrivé il y a trois mois. → Question n° ....

b. J'adore les aubergines et les tomates. → Question n° ....

c. Dans un mois, nous allons organiser des ateliers dans les écoles. → Question n° ....

d. Parce que je veux partager du temps avec mes voisins. → Question n° ....

e. Le dimanche, je ne fais rien : je me repose. → Question n° ....

f. Non, j'utilise un engrais chimique pour faire pousser les plantes. → Question n° ....

10 a. Associez les photos à la description.

Ex.

Ex. : Les jeunes n'ont pas d'activité le week-end.

a. La journée, les personnes âgées n'ont rien à faire.

b. Les immeubles du quartier sont tristes.

c. Ces aliments ne sont pas bons pour la santé.

1. ☐

2. ☐

3. ☐

b. Écrivez les projets de l'association du quartier.

Ex. : Nous allons organiser des ateliers « Jardinage » pour les jeunes le week-end.

a. Nous allons ....

b. Nous ....

c. Nous ....

PHONÉTIQUE

◀ **Les sons** [a] **et** [ã]

11 🎧 74 **Écoutez. Quel mot entendez-vous ? Soulignez ce mot.**

Ex. : rat · <u>rend</u>

a. ment · ma	c. sent · sa	e. pense · passe
b. la · lent	d. chant · chat	f. patte · pente

COMPRENDRE

1 Coralie et son ami sont allés à Bali. Associez les photos du voyage à leur légende.

a. J'ai découvert le nasi goreng, une spécialité culinaire ! C'était délicieux !

b. J'ai pris trois cents photos de mon voyage.

c. J'ai dormi cinq heures dans l'avion.

d. À Ubud, j'ai fait une randonnée dans la nature ! C'était magique.

e. On a choisi un hôtel tranquille à cinquante mètres de la mer !

f. Le soir, on a vu un spectacle traditionnel.

1. ☐ 2. ☐ 3. ☐ 4. ☐ 5. ☐ 6. ☐

2 🎧 75 Lisez les offres d'un site de voyage. Écoutez les trois clients. Indiquez quel voyage ils choisissent.

www.mesvacances.com

Rechercher 🔍

mes vacances

Promotion	Voyage	Week-end	Hôtels	Transports

1 Vous adorez le sport ? Le voyage « **Espagne sportive** », c'est pour vous ! 7 jours de randonnée dans des villages en Andalousie.

7 jours et 6 nuits : **679 euros**.

2 Vous aimez les spécialités culinaires ? Vous voulez manger des plats typiques espagnols et apprendre avec des chefs ? Choisissez le voyage « **Espagne délicieuse** ».

8 jours et 7 nuits : **899 euros**.

3 Vous voulez rencontrer l'Espagne du futur ? Essayez « **Espagne 2030** » ! 6 jours pour découvrir les places, les parcs, les musées et les quartiers animés de Barcelone et Madrid.

6 jours et 5 nuits : **750 euros**.

a. Romain : ....

b. Greg : ....

c. Léa : ....

VOCABULAIRE

◀ Les voyages, les loisirs, les jeux, les appréciations

3 a. Barrez l'intrus.

Ex. : le jeu · le prix · le concours · ~~le taxi~~

a. le trek · la randonnée · la marche · le vélo

b. le vol · le concours · l'aéroport · la valise

c. magique · triste · animé · moderne

b. Complétez avec des mots de l'activité 3a.

J'ai gagné le prix d'un concours de photos : un _____ dans l'Himalaya en Inde. J'ai pris un
_____ Paris-Delhi, après j'ai marché seul. Le voyage a duré douze jours. C'était _____ !

◀ Les appréciations

4 Entourez la bonne réponse.

Ma femme et moi, nous adorons la cuisine **écologique · chinoise**. Samedi soir, nous avons dîné chez Panda.
C'est un restaurant **traditionnel · utile**, à cinq minutes à pied de la rue Oberkampf, une rue **animée · délicieuse**
de Paris. J'ai choisi de la viande et des légumes, ma femme a pris du poisson. C'était **moderne · délicieux** !
Après, nous sommes allés voir « Casse-noisettes » à l'Opéra. Le spectacle a duré deux heures et nous avons adoré.
C'était **magique · long** !

GRAMMAIRE

◀ *En* + année ou mois pour situer une action dans le passé

5 Écrivez trois phrases au passé composé pour situer dans le passé.

Ex. : 26/02/2015 · Elle · naître
→ Elle est née en 2015.
→ Elle est née en février 2015.
→ Elle est née le 26 février 2015.

a. 06/11/2012 · Il · arriver en France
→ _____
→ _____
→ _____

b. 29/12/2019 · Ils · quitter la Tanzanie
→ _____
→ _____
→ _____

c. 13/05/1999 · Je · arrêter mon travail
→ _____
→ _____
→ _____

d. 26/07/1976 · Ils · se marier
→ _____
→ _____
→ _____

Leçon 26 **Raconter un voyage**

◖ L'imparfait pour donner une appréciation dans le passé

6 Associez la description du voyage aux appréciations.

a. J'ai réservé six nuits dans un hôtel chic. • • 1. C'était long !

b. J'ai mangé une spécialité culinaire du pays. • • 2. C'était magique !

c. Mon vol Paris-Antsiranana a duré onze heures. • • 3. C'était intéressant !

d. J'ai regardé la mer pendant deux heures. • • 4. C'était délicieux !

e. J'ai lu un livre d'un écrivain malgache. • • 5. C'était cher !

◖ Le passé composé (3) des verbes pronominaux

7 Mettez les mots dans l'ordre pour former des phrases. Ajoutez les majuscules et la ponctuation.

Ex. : s' • couché • minuit • à • il • est

→ Il s'est couché à minuit.

a. ils • se • pas • 2019 • inscrits • sont • ne • en

→ _____

b. me • je • suis • ne • pas • heures • à • huit • réveillé

→ _____

c. ne • t' • es • lavée • pas • ce • tu • matin

→ _____

d. ne • vous • hier • vous • pas • êtes • présentés

→ _____

e. s' • pas • est • trek • reposée • ne • après • elle • le

→ _____

f. 2012 • mariés • le • sommes • 7 • janvier • nous • nous

→ _____

◖ Les participes passés en *-u*, *-i*, *-is*, *-ert*

➕**8** Conjuguez les verbes au passé composé.

Ex. : Nous sommes allés (aller) sur Internet et nous avons choisi (choisir) un voyage.

a. Nous _____ (préparer) nos valises puis nous _____ (prendre) l'avion.

b. Nous _____ (arriver) à Montréal puis nous _____ (découvrir) la ville.

c. Nous _____ (réserver) une table au restaurant puis nous _____ (dîner).

d. Nous _____ (boire) un café puis nous _____ (payer) l'addition.

e. Nous _____ (voir) un spectacle et nous _____ (adorer).

f. Nous _____ (se lever) puis nous _____ (applaudir) les artistes.

g. Nous _____ (rentrer) à l'hôtel puis nous _____ (dormir) dix heures !

◗ Dictée

9 🎧 76 Écoutez et écrivez les phrases.

a. _____

b. _____

c. _____

d. _____

COMMUNIQUER

➕ **10** **Kader est parti en vacances à Istanbul en Turquie. Légendez les photos de son voyage. Donnez une appréciation.**

Ex. : lundi 23 mars • taxi • confortable → lundi 23 mars, j'ai pris le taxi pour aller à l'aéroport. C'était confortable !

a. vol • trois heures • long → _____

b. trois nuits • hôtel Kariyé • agréable → _____

c. bateau • sur le Bosphore • sympa → _____

d. dimanche • grand bazar • immense → _____

e. spécialités culinaires • restaurant Sarnic • délicieux → _____

Ex.

a

b

c

d

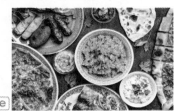
e

🎧 **11** 77 **Cinq personnes racontent leur journée. Écoutez et associez à la photo.**

Ex. : Personne n° 2

a. Personne n° _____

b. Personne n° _____

c. Personne n° _____

d. Personne n° _____

PHONÉTIQUE

◀ **La continuité : l'élision, les liaisons et les enchaînements**

🎧 **12** 78 **Écoutez et indiquez les liaisons et les enchaînements.**

Ex. : C'est une ville animée !

a. C'est une infirmière américaine.

b. Il est arrivé aux États-Unis.

c. Nous avons dormi deux heures.

d. Elle adore aller au bar avec ses amis.

e. Ils sont allés à l'aéroport.

Compréhension orale 10 points

1 🎧 79 **Écoutez le dialogue et cochez (✔) la bonne réponse.** *2 points par bonne réponse*

a. Livia téléphone à...
   ☐ son médecin.
   ☐ son père.
   ☐ son ami.

b. Livia téléphone pour...
   ☐ acheter des médicaments.
   ☐ parler de sa santé.
   ☐ donner un numéro de téléphone.

c. Les symptômes de Livia sont...

1. ☐   2. ☐   3. ☐

d. Livia n'est pas contente parce que...
   ☐ elle n'a pas pris rendez-vous.
   ☐ la consultation a coûté cher.
   ☐ la visite a duré peu de temps.

e. Livia parle de la médecine chinoise, son père dit :
   ☐ « Je n'aime pas. »
   ☐ « Je ne connais pas. »
   ☐ « J'aime beaucoup. »

💬 **Production orale** 10 points

2 Vous avez pris un avion pour aller à Paris. Vous avez mal aux dents et de la fièvre. Vous consultez un médecin parce que vous avez une réunion de travail dans 48 heures.

Vous expliquez au docteur pourquoi vous consultez aujourd'hui.

Vous racontez le voyage.

Vous décrivez votre état et vous parlez de vos douleurs.

Vous parlez de votre réunion.

Compréhension écrite 12 points

3 L'association « Boutique et jardins » a organisé une visite de ses jardins collectifs et un marché de produits bio et naturels. Lisez les messages et répondez aux questions.

2 points par bonne réponse

Association « Boutique et jardins »
Livre des messages
• • •

Le 6 août
Merci à l'association « Boutique et Jardins ». Nous sommes allés à la visite en famille et nous avons beaucoup aimé votre jardin collectif. Nous allons nous inscrire pour avoir une parcelle et planter nos légumes bio. Ce soir, nous allons manger les courgettes de M. André... Merci +++
　　　　　　　　　　Vico, Béné, Timothé et Lison

Samedi 6 août
J'ai vu votre association sur Internet, il y a deux jours. Vos jardins sont magnifiques.
Merci Yvette pour vos conseils : j'ai souvent mal au dos et votre crème aux plantes naturelles est magique !
Comment est-ce que je peux devenir membre et participer au projet ?
Madame Doucet

Le 06/08
Merci d'embellir le quartier. J'ai pris beaucoup de photos. Vos tomates et vos courgettes sont magnifiques.
Je ne vais pas m'inscrire parce que je ne suis pas libre. Mais je vais aller sur votre site pour connaître vos projets. Deux heures pour une visite : c'était un peu long !
　　　　　　　　　　Vladimir G.

---

a. Qui a écrit ces messages ?

b. Quel est le but des messages ?

c. Qui va s'inscrire à l'association « Boutique et jardins » ?

d. Pourquoi Yvette a conseillé une crème à Madame Doucet ?

e. Qu'est-ce que Vladimir G. n'a pas aimé ?

f. Qu'est-ce que Vladimir G. va faire ?

Production écrite 8 points

4 Gaspard demande des conseils sur un forum. Répondez à son message.

Vous vous présentez. Vous indiquez les lieux à visiter, les spécialités de votre pays.
Vous donnez des appréciations et des conseils.

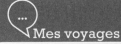
Mes voyages

http://www.mesvoyages/forum.com

Bonjour,

Je m'appelle Gaspard.

Je vais faire un voyage de deux semaines dans votre pays. J'aime les randonnées et la nature.

Quels lieux vous me conseillez ? Quelles sont les spécialités culinaires de votre pays ? Merci !

Gaspard

Leçon 28 **Expliquer son cursus**

COMPRENDRE

1 🎧 80 **Jade, Nour et Chan parlent de leur cursus. Écoutez et répondez aux questions.**

a. Quel domaine d'études ont-ils choisi ?

Jade : _____ Nour : _____ Chan : _____

b. Quelle formation suivent-ils ? Licence, master ou doctorat ?

Jade : _____ Nour : _____ Chan : _____

c. Ont-ils travaillé ?

Jade : _____ Nour : _____ Chan : _____

d. Que veulent-ils faire après leurs études ?

Jade : _____ Nour : _____ Chan : _____

2 **Lisez l'offre de stage et les notes du responsable de l'association pendant les entretiens. Indiquez son choix et justifiez.**

L'ASSOCIATION « RESPECT'ORLÉANS »

STAGIAIRE

Mission
Organiser les réunions de l'association
Faire la liste des membres
Animer les activités (ateliers dans les écoles, journée du jardinage et du partage)

Niveau d'études
L3 Droit ou Gestion

Langues
Français et anglais

Date : 16 mai au 15 août
Durée : 3 mois
Lieu du poste : Nancy – Région Grand Est

Expérience souhaitée

Esperanza Lopes
Bac
Elle suit une licence en droit de l'environnement (Paris)
Anglais +++ (Elle a habité et travaillé deux ans à Londres.)
Sans expérience

Jean Blanc
Master en gestion des associations environnementales
Licence d'anglais
Stage de deux mois à la mairie de Metz comme animateur

Personne choisie : _____

Pourquoi ? _____

VOCABULAIRE

◖ Les études universitaires

3 **Complétez le dialogue avec :**

étudiante • fac • stagiaires • cursus • université • formation • stage • alternance

– Qu'est-ce que tu fais ? Tu travailles ?

– Non, je suis **étudiante**. Je suis inscrite en master à la _____ de langues de Limoges.

– Après ton _____ , qu'est-ce que tu vas faire ? Tu vas faire une autre _____ ou tu vas chercher un travail ?

– Je ne sais pas. Je veux être professeur.

– Tu veux un conseil ? Cherche un _____ dans un lycée ou un travail en _____ : un mois dans une entreprise, un mois dans une école.

– Il y a une réunion d'information à l' _____ la semaine prochaine. Des _____ vont venir. Je vais échanger avec eux !

Les domaines

4 **Associez l'objectif professionnel au domaine d'études.**

a. enseigner l'anglais   •   • 1. l'informatique

b. créer des médicaments   •   • 2. l'économie

c. construire des immeubles   •   • 3. l'architecture

d. étudier les entreprises   •   • 4. la santé

e. diriger une entreprise   •   → 5. les langues

f. vérifier l'état des ordinateurs   •   • 6. la chimie

g. soigner des maladies   •   • 7. le management

GRAMMAIRE

◖ Le passé récent pour parler d'une action immédiate

5 **Écrivez une phrase avec le passé récent et le futur proche.**

Ex. : Elle • avoir son bac • aller à l'université
→ **Elle vient d'avoir son bac et elle va aller à l'université.**

a. Je • finir mes études • chercher un travail

→ _____

b. Tu • avoir une licence • étudier en master

→ _____

c. Ils • finir leur CV • écrire à des entreprises

→ _____

d. Nous • arriver à l'université • suivre un cours de chimie

→ _____

e. Vous • faire un stage • obtenir votre diplôme

→ _____

f. On • assister à une réunion • organiser des événements de communication

→ _____

Leçon **28**   Expliquer son cursus

◖ Les verbes *connaître* (2), *savoir* et *étudier*

6 **Choisissez le bon verbe et conjuguez au présent.**

Ex. : Vous étudiez la communication et vous ne savez pas écrire un message pour votre association ? (savoir, étudier)

a. Ils _____ les langues mais ils ne _____ pas parler anglais ! (étudier, savoir)

b. Je _____ choisir les bons engrais parce que j'_____ la chimie depuis deux ans. (étudier, savoir)

c. Vous _____ l'économie mais vous ne _____ pas ce grand professeur ? (connaître, étudier)

d. Nous _____ décrire les symptômes de la laryngite parce que nous _____ la médecine. (savoir, étudier)

e. Elle _____ en France et elle ne _____ pas les diplômes universitaires ! (connaître, étudier)

f. Tu _____ l'art et tu ne _____ pas le sculpteur Giacometti ? (étudier, connaître)

◖ L'interrogation pour poser des questions

7 **Associez les questions aux réponses.**

a. Combien d'années avez-vous étudié le management ? •   • 1. Je vais finir mes études dans trois mois.

b. Quand est-ce que vous allez finir vos études ? •   • 2. À pied ou en bus.

c. Comment est-ce que vous allez à la fac ? •   • 3. C'est M. Legrand, Hugo Legrand.

d. Est-ce que vous avez un CV ? •   • 4. J'ai fait un double cursus : langues et gestion.

e. Où est-ce que vous allez faire votre stage ? •   • 5. Cinq ans.

f. Qui est le responsable de cette start-up française ? •   • 6. Oui. J'ai aussi ma demande de stage.

g. Quelle est votre formation universitaire ? •   • 7. Dans une petite association de quartier.

➕ 8 **Complétez les questions avec *qui*, *quoi*, *qu'*.**

Ex. : Vous avez fait quoi après la licence ?

a. _____ est-ce que vous avez étudié à l'université ?

b. _____ est votre responsable de stage ?

c. _____ est-ce que vous préférez ? Le management ou le droit ?

d. Vous savez _____ sur notre entreprise ?

e. Chez ProTopia, vous avez travaillé avec _____ ?

f. Cette année, vous avez choisi _____ comme domaine d'études ?

g. _____ est-ce que tu vas faire cette année ?

◗ Dictée

9 🎧 81 **Écoutez et écrivez les phrases.**

a. _____

b. _____

c. _____

d. _____

e. _____

COMMUNIQUER

10 **Étienne se présente dans le magazine des étudiants de l'université. Complétez sa présentation avec :**
cursus • entreprise • domaine • master • alternance • faculté • stage • prochaine

---

● ● ●   ⟨ ⟩ ▢   🔍 https://www.magetudiant-lille3.fr   ⬆ ⧉

Portrait

Rencontrez les étudiants de master

Étienne Petit – 24 ans

Voici mon **cursus** universitaire. Je suis inscrit à la _____
d'économie. Je viens de finir un _____ de trois mois pour
mon M1. J'ai travaillé chez Mercier, une entreprise de marketing.
C'était très intéressant. Avec mes collègues, j'ai appris à organiser
des actions de communication. L'année _____, je vais
travailler en _____ : un mois dans une _____
et un mois à l'université pour finir mon _____. Après,
je vais chercher un emploi dans le _____ de la
communication.

---

11 **Madame Fitoussi passe un entretien pour travailler au musée La Piscine de Roubaix. Retrouvez les questions.**

– Bienvenue à La Piscine, asseyez-vous ! Présentez-vous s'il vous plaît.

– Merci, je m'appelle Rachel Fitoussi. J'ai 26 ans et je veux devenir conservatrice.

– **Qu'est-ce que vous avez étudié ?**

– J'ai étudié l'histoire de l'art et la gestion.

– _____ ?

– Je viens de finir mon master.

– _____ ?

– Non mais je suis en stage dans un musée d'architecture depuis avril. C'est très intéressant.

– _____ ?

– À Bruxelles, au CIVA.

– _____ ?

– C'est Josie Vandenbosche.

– Nous travaillons souvent avec ce musée. _____ ?

– Parce que vous organisez des ateliers avec les écoles. J'aime travailler avec les enfants.

PHONÉTIQUE

Les sons [s] et [z]

12 🎧 82 **Écoutez. Soulignez le son [s] et entourez le son [z].**
mer<u>c</u>i • ça va • un stage • un zoo • une entreprise • une boisson • une casserole • ils étudient • les symptômes •
une information • la parcelle • les voisins • la science • le cursus

Leçon 29 **Décrire un travail**

COMPRENDRE

1 **Lisez la fiche de poste et répondez Vrai ou Faux (✔). Corrigez les phrases fausses.**

FICHE DE POSTE

Responsable Communication et développement – Entreprise Naturéo
Bureau : 34 rue d'Avron – 75020 Paris
Bureaux à Lille, Marseille, Nantes.

Contrat : CDD de 1 an renouvelable (1er juin 2020 – 31 mai 2021)
Lieu de travail : Paris avec des déplacements dans les trois bureaux français et en Belgique

Missions :
• Analyser le marketing de l'entreprise
• Animer la communication en ligne (réseaux sociaux, site internet)
• Organiser l'ouverture d'un nouveau bureau à Bruxelles en Belgique (printemps 2021)

---

a. C'est un contrat de douze mois. ☐ Vrai ☐ Faux
→ ....

b. L'entreprise Natureo a deux bureaux en France. ☐ Vrai ☐ Faux
→ ....

c. On ne peut pas prolonger ce contrat de travail. ☐ Vrai ☐ Faux
→ ....

d. Le responsable va faire des déplacements. ☐ Vrai ☐ Faux
→ ....

e. Le responsable va commencer à travailler en hiver. ☐ Vrai ☐ Faux
→ ....

f. Le responsable doit connaître l'informatique. ☐ Vrai ☐ Faux
→ ....

g. Le responsable va toujours travailler en France. ☐ Vrai ☐ Faux
→ ....

2 🎧 83 **Martial vient de trouver un travail dans une entreprise informatique.**
Écoutez et cochez (✔) la bonne réponse.

a. Martial travaille chez Artinfo depuis...
☐ trois jours.
☐ sept jours.
☐ un mois.

b. Martial n'aime pas son travail parce que...
☐ ses collègues ne sont pas sympas.
☐ son salaire n'est pas intéressant.
☐ sa mission a changé.

c. Martial travaille...
☐ au service marketing.
☐ à l'accueil.
☐ à la direction.

d. Les tâches de Martial sont...
☐ la gestion de nouveaux projets avec le directeur.
☐ l'analyse des actions de communication de l'entreprise.
☐ la prise de rendez-vous et l'achat des billets d'avion.

e. Martial a rendez-vous avec...
☐ la directrice.
☐ le directeur.
☐ le responsable RH.

f. Le contrat de Martial finit...
☐ le 13 mars.
☐ le 12 septembre.
☐ le 16 septembre.

VOCABULAIRE

◖ **Le travail, les postes, les services, les tâches**

3 **Lisez les phrases et complétez la grille.**

1. Dans ce service, on écrit les fiches de poste.
2. Ils sont les responsables de l'entreprise.
3. C'est à l'entrée de l'entreprise et on y répond aux questions des visiteurs.
4. Dans ce service, on s'occupe des ordinateurs.
5. Il peut être limité dans le temps ou à durée indéterminée.
6. Dans ce service, on étudie le marché.
7. On y va pour travailler.
8. La personne à ce poste aide un responsable.

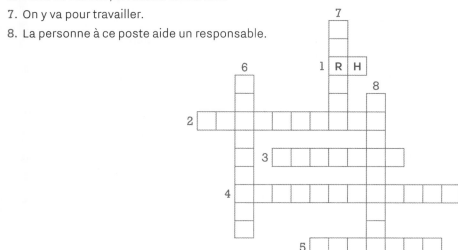

◖ **Les tâches**

4 **Entourez la bonne réponse.**

Ex. : Les membres de l'association écrivent · lisent la présentation du président.

a. Le chargé de partenariat **fait la liste** · **publie** des clients.
b. La directrice des ressources humaines **répond** · **écrit** les contrats de travail.
c. Le service communication **prend des rendez-vous** · **publie** sur les réseaux sociaux.
d. La responsable marketing **répond** · **analyse** aux messages des clients.
e. L'assistant **prend des rendez-vous** · **analyse** pour le directeur.
f. Le service informatique **lit** · **vérifie** l'état des ordinateurs.

GRAMMAIRE

◖ **Le futur proche (3) des verbes pronominaux**

5 **Conjuguez les verbes au futur proche.**

Ex. : La responsable ne va pas se présenter (ne pas se présenter) avant l'entretien.

a. Vous _____ (se reposer) ce week-end.
b. Le directeur _____ (ne pas s'occuper) du contrat aujourd'hui.
c. Nous _____ (s'inscrire) à l'association.
d. Ils _____ (se marier) le 2 juillet.
e. Je _____ (ne pas se coucher) après dix heures ce soir.

UNITÉ 8 Leçon 29 — Décrire un travail

◖ Le pronom *y* pour dire où on va

6 Associez les phrases à un lieu.

a. On y va pour échanger avec sa ou son responsable. → •   • 1. Le service des ressources humaines

b. On y demande des informations sur les contrats de travail. •   • 2. Une association

c. On s'y inscrit pour rencontrer ses voisins. •   • 3. Une école de langues

d. On y publie des messages publics sur l'entreprise. •   • 4. Le service informatique

e. On y suit une formation en français. •   → • 5. La réunion du service

f. On y vérifie les ordinateurs. •   • 6. Les réseaux sociaux

✚ 7 Écrivez une phrase avec le pronom *y* pour remplacer le mot <u>souligné</u>.

Ex. : Le directeur est dans son bureau. Il travaille <u>dans son bureau</u> depuis sept heures ce matin.

→ Le directeur est dans son bureau. Il y travaille depuis sept heures ce matin.

a. Nous devons lire nos contrats au service des ressources humaines. Nous allons <u>au service des ressources humaines</u> dans deux heures.

→ Nous devons lire nos contrats au service des ressources humaines. _____

_____

b. Le service communication demande aux employés de lire le magazine de l'entreprise. Ils voient les nouveaux projets <u>dans le magazine de l'entreprise</u>.

→ Le service communication demande aux employés de lire le magazine de l'entreprise. _____

_____

c. Il faut regarder ton contrat. On lit des informations sur le poste <u>dans le contrat</u>.

→ Il faut regarder ton contrat. _____

d. Vous devez venir aux réunions les samedis. Vous rencontrez des personnes intéressantes <u>à ces réunions</u>.

→ Vous devez venir aux réunions les samedis. _____

◖ Le verbe *répondre* au présent

8 Conjuguez le verbe *répondre* au présent.

Ex. : Elle répond au ministère de la Santé.

a. Je _____ à la responsable RH dans une heure.

b. Bastien, tu _____ à cette offre d'emploi ?

c. Nous _____ toujours aux lettres des stagiaires.

d. Les assistants _____ aux questions des clients.

e. On lit ton message et on _____ demain !

f. Vous _____ aux messages sur les réseaux sociaux ?

◗ Dictée

9 🎧 84 Écoutez et écrivez les phrases.

a. _____

b. _____

c. _____

d. _____

e. _____

COMMUNIQUER

10 Tonio répond aux questions de l'assistante du service des ressources humaines. Cochez (✔) la bonne réponse.

Ex. : Aujourd'hui, vous avez quel contrat de travail ?
- ☐ Du lundi au vendredi.
- ☑ Je suis en CDD depuis mai.
- ☐ Je suis assistant du responsable marketing.

a. Vous êtes dans quel service ?
- ☐ Je travaille à l'accueil.
- ☐ Je m'occupe de la gestion des contrats.
- ☐ Je suis responsable.

b. Quelles sont vos heures de travail ?
- ☐ Je me lève à 7 h 30 le matin et je me couche à 22 heures.
- ☐ Je travaille de 9 heures à 17 h 30, du lundi au vendredi.
- ☐ La réunion est à 16 heures.

c. Pourquoi avez-vous demandé un rendez-vous au service RH ?
- ☐ Parce que ma fiche de poste et mes missions sont différentes.
- ☐ Parce que j'analyse le développement de la société.
- ☐ Parce que j'anime les réseaux sociaux depuis 2016.

d. Quelles sont vos missions dans l'entreprise aujourd'hui ?
- ☐ J'ai une expérience dans le management.
- ☐ Je vais écrire à la responsable RH.
- ☐ Je fais la liste des nouveaux clients.

11 🎧 85 **Écoutez le message sur le répondeur de M. Platini. Relevez les informations.**

Dates du contrat : 1er août – 30 septembre
Horaires de travail : ....
Service : ....
Les missions :
- ....
- ....
- ....
- ....

Nom de la responsable des ressources humaines : ....
E-mail : ....

PHONÉTIQUE

Les sons [E] / [Œ] / [O]

12 🎧 86 **Écoutez. Vous entendez quelle phrase ? Cochez (✔) la bonne réponse.**

Ex. : ☐ Je veux parler avec lui   ☑ Je vais parler avec lui.
a. ☐ Je veux écrire à Léo.   ☐ Je vais écrire à Léo.
b. ☐ Je veux répondre au directeur.   ☐ Je vais répondre au directeur.
c. ☐ Je veux prendre rendez-vous.   ☐ Je vais prendre rendez-vous.
d. ☐ Je veux lire ce livre.   ☐ Je vais lire ce livre.
e. ☐ Je veux vérifier le contrat.   ☐ Je vais vérifier le contrat.
f. ☐ Je veux partager ce message.   ☐ Je vais partager ce message.

COMPRENDRE

1 a. 🎧 87 **Benoît Mathieu téléphone à une agence pour louer un appartement.**
Écoutez et cochez (✔) la bonne réponse.

1. Benoît Mathieu téléphone à l'agence pour...
   ☐ acheter un appartement.
   ☐ demander l'adresse d'un logement.
   ☐ visiter un appartement à louer.

2. Le logement est à côté...
   ☐ de la poste.   ☐ de la gare.   ☐ du consulat.

3. Le loyer est à...
   ☐ 2 250 euros.   ☐ 1 150 euros.   ☐ 1 250 euros.

4. L'employée de l'agence demande à Benoît Mathieu de ne pas quitter pour...
   ☐ chercher une information sur Internet.
   ☐ parler à un collègue.
   ☐ écrire l'adresse d'un logement.

b. 🎧 87 **Réécoutez le dialogue. Quel temps fait-il pendant la semaine ?**
Cochez (✔) la bonne réponse et entourez le jour de la visite.

	Mardi	Mercredi	Jeudi	Vendredi
1.				
2.				
3.				

2 Corentin écrit à un ami pour demander des conseils. Lisez l'e-mail et répondez Vrai ou Faux (✔).
Corrigez les phrases fausses.

De : cor45@hotmail.fr

à : fred2850@gmail.com

Objet : Appartements à Toulouse

Salut Fred,
Lucie et moi, nous venons de visiter deux appartements à Toulouse : un T3 boulevard Trudaine et un T2 rue Racine. Tu habites à Toulouse depuis cinq ans. Est-ce que tu peux nous conseiller ?
Le T2 est un 32 m² et l'appartement boulevard Trudaine est un 50 m². Le loyer des deux logements est de 650 euros par mois. Le T2 a une situation exceptionnelle : il est dans LE quartier étudiant de la ville, à côté des magasins et des restaurants. On a une vue sur la place de la Mairie. L'appartement n'est pas très clair parce que les fenêtres sont petites.
Le T3 est sympa aussi. Il est à 15 minutes à pied de la gare. Il est plus grand : c'est un T3 ! Il est lumineux, moderne et confortable. Tu sais : j'adore la mode et il y a un DRESSING !!!!! Le boulevard Trudaine est moins animé que la rue Racine.
Tu connais bien Toulouse. J'attends tes conseils.
Corentin

a. Corentin écrit à Fred pour avoir des conseils. ☐ Vrai ☐ Faux
→ _____

b. L'appartement T2 est aussi cher que le T3. ☐ Vrai ☐ Faux
→ _____

c. La situation du T2 est exceptionnelle. ☐ Vrai ☐ Faux
→ _____

d. Le T2 est plus lumineux que le T3. ☐ Vrai ☐ Faux
→ _____

e. L'appartement rue Racine est plus grand que l'appartement boulevard Trudaine. ☐ Vrai ☐ Faux
→ _____

f. Le T2 est dans une rue plus animée que le T3. ☐ Vrai ☐ Faux
→ _____

g. Dans le T3, il y a une petite pièce pour ranger les vêtements. ☐ Vrai ☐ Faux
→ _____

VOCABULAIRE

◀ Le logement

3 Lisez l'annonce et complétez avec :
~~location~~ · ascenseur · immeuble · étage · collectif · loyer · parking · lumineux · cuisine

Location meublée • Appartement
Paris 12ᵉ
T2 • 45 m² • 2 pièces

_____ : **1 450 euros**

Magnifique logement dans un _____ moderne.
_____ américaine.
Un salon très _____ (grandes fenêtres) et une chambre de 14 m².
Au 7ᵉ _____ avec _____.
Deux places de _____ gratuites.
Le chauffage est _____.

◀ L'appartement

4 Entourez le mot correct.
Ex. : On dort dans une cuisine · une chambre.

a. On range les livres sur **une chambre** · **une étagère**.
b. On range les vêtements et on s'habille dans **un dressing** · **une cheminée**.
c. On fait la sieste dans **un canapé** · **un placard**.
d. On travaille sur un ordinateur dans **le bureau** · **le dressing**.
e. On prépare le repas dans **la cuisine** · **la salle de bain**.
f. On prend **l'ascenseur** · **l'étagère** pour aller au 9ᵉ étage.
g. On se lave dans **la salle de bain** · **l'ascenseur**.
h. On se chauffe avec **une cheminée** · **une chaise**.

GRAMMAIRE

◖ Le verbe *être* (3) au passé composé

5 🎧 88 **Écoutez et cochez (✔) les phrases avec *être* au passé composé.**

	Ex.	a.	b.	c.	d.	e.	f.
Être au passé composé	✔						

◖ *Moins / plus / aussi* + adjectif + *que* pour comparer

6 **Comparer les logements de Nora et Cléo avec *moins*, *plus* ou *aussi… que*.**

Ex. : (animé) La rue de Nora est plus animée que la rue de Cléo.

a. (petit) L'appartement de Nora _____ l'appartement de Cléo.

b. (lumineux) Le séjour de Nora _____ le séjour de Cléo.

c. (confortable) Le lit de Nora _____ le lit de Cléo.

◀ *Très / trop* + adjectif pour exprimer l'intensité

7 Complétez les phrases avec *très* ou *trop*.

Ex. : Cet appartement est très clair parce qu'il a de grandes fenêtres.

a. Notre chambre d'hôtel est _____ confortable.

b. L'étagère est _____ petite pour ranger nos livres.

c. Ici, il fait _____ chaud. C'est agréable !

d. Cet enfant est _____ petit pour s'habiller seul.

e. Je ne peux pas sortir parce qu'il fait _____ froid aujourd'hui.

f. Prends un imperméable parce que le ciel est _____ nuageux !

▶ **Dictée**

8 🎧 89 **Écoutez et écrivez les phrases.**

a. _____

b. _____

c. _____

d. _____

e. _____

COMMUNIQUER

9 Observez la météo et complétez les phrases.

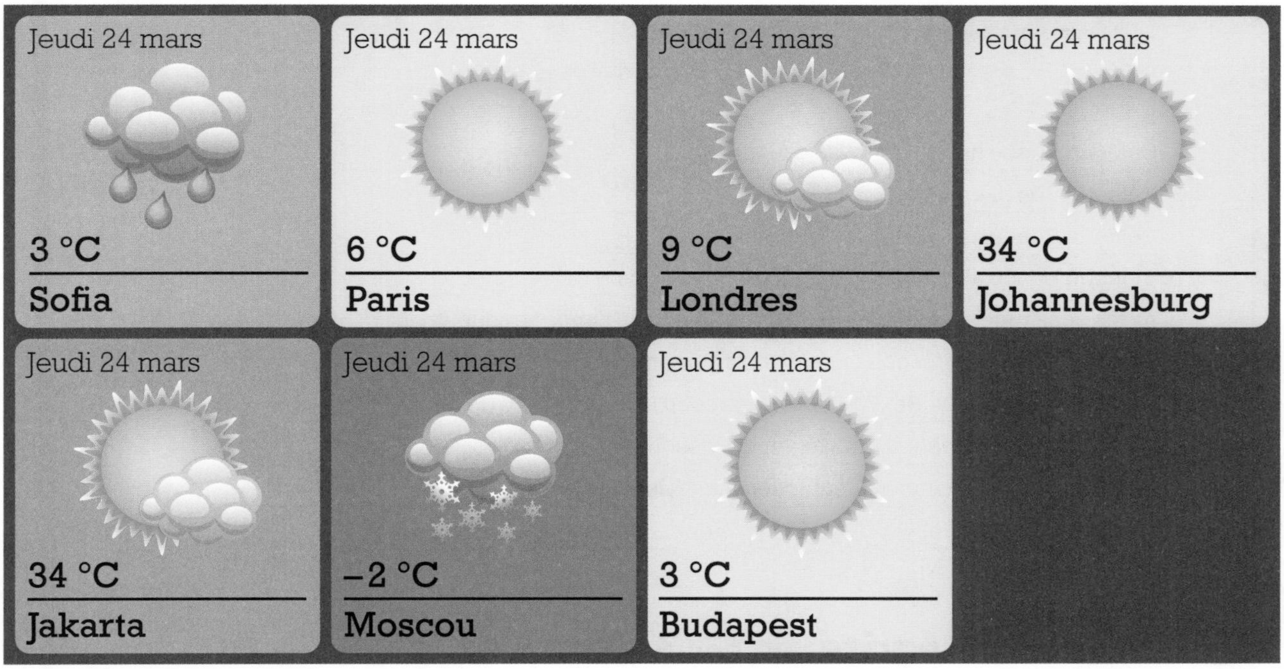

Jeudi 24 mars	Jeudi 24 mars	Jeudi 24 mars	Jeudi 24 mars
3 °C Sofia	6 °C Paris	9 °C Londres	34 °C Johannesburg

Jeudi 24 mars	Jeudi 24 mars	Jeudi 24 mars
34 °C Jakarta	−2 °C Moscou	3 °C Budapest

Ex. : À Sofia, il pleut et il fait froid.

a. À Paris, _____

b. À Londres, _____

c. À Johannesburg, _____

d. À Jakarta, _____

e. À Moscou, _____

f. À Budapest, _____

Compréhension écrite 10 points

1 Lisez l'article. Répondez Vrai ou Faux (✔).   *1 point par bonne réponse*

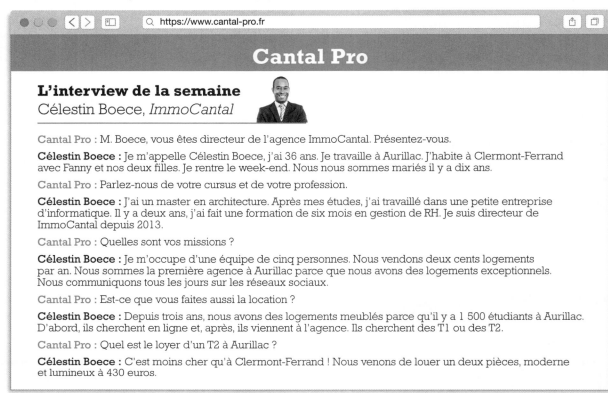

●○○   ⟨ ⟩ ▢   Q https://www.cantal-pro.fr   ⬆ ⧉

Cantal Pro

L'interview de la semaine
Célestin Boece, *ImmoCantal*

Cantal Pro : M. Boece, vous êtes directeur de l'agence ImmoCantal. Présentez-vous.

Célestin Boece : Je m'appelle Célestin Boece, j'ai 36 ans. Je travaille à Aurillac. J'habite à Clermont-Ferrand avec Fanny et nos deux filles. Je rentre le week-end. Nous nous sommes mariés il y a dix ans.

Cantal Pro : Parlez-nous de votre cursus et de votre profession.

Célestin Boece : J'ai un master en architecture. Après mes études, j'ai travaillé dans une petite entreprise d'informatique. Il y a deux ans, j'ai fait une formation de six mois en gestion de RH. Je suis directeur de ImmoCantal depuis 2013.

Cantal Pro : Quelles sont vos missions ?

Célestin Boece : Je m'occupe d'une équipe de cinq personnes. Nous vendons deux cents logements par an. Nous sommes la première agence à Aurillac parce que nous avons des logements exceptionnels. Nous communiquons tous les jours sur les réseaux sociaux.

Cantal Pro : Est-ce que vous faites aussi la location ?

Célestin Boece : Depuis trois ans, nous avons des logements meublés parce qu'il y a 1 500 étudiants à Aurillac. D'abord, ils cherchent en ligne et, après, ils viennent à l'agence. Ils cherchent des T1 ou des T2.

Cantal Pro : Quel est le loyer d'un T2 à Aurillac ?

Célestin Boece : C'est moins cher qu'à Clermont-Ferrand ! Nous venons de louer un deux pièces, moderne et lumineux à 430 euros.

	Vrai	Faux
a. Célestin Boece habite et travaille à Aurillac.		
b. Célestin Boece est marié.		
c. Célestin Boece a une licence de marketing.		
d. Célestin Boece a étudié la gestion RH pendant cinq ans.		
e. Après ses études, Célestin Boece a travaillé dans l'informatique.		
f. Célestin Boece est responsable de huit personnes.		
g. L'agence de Célestin Boece utilise beaucoup Internet.		
h. Les étudiants cherchent leurs logements sur Internet.		
i. À Aurillac, les étudiants veulent louer des maisons.		
j. Les loyers à Clermont-Ferrand sont plus chers qu'à Aurillac.		

Production écrite 10 points

2 **Vous êtes étudiant de français à l'université et vous louez un trois pièces meublé. Vous cherchez un(e) étudiant(e) pour partager le logement. Vous écrivez sur le site des étudiants de l'université.**
Vous vous présentez. Vous expliquez pourquoi vous publiez ce message. Vous indiquez le lieu. Vous donnez des informations sur le logement et le prix.

Compréhension orale 10 points

3 🎧 90 **Sara Pilar téléphone à Frédéric Leblin pour une chambre à louer.**
Écoutez et cochez (✔) la bonne réponse.   *2 points par bonne réponse*

a. Pourquoi est-ce que Sara Pilar téléphone à Frédéric Leblin ?
☐ Pour parler de la ville d'Aix-en-Provence.
☐ Pour louer une chambre.
☐ Pour s'inscrire en master de droit à l'université d'Aix-en-Provence.

b. Sara est à Aix-en-Provence depuis quand ?
☐ Depuis deux ans.
☐ Depuis deux jours.
☐ Depuis deux semaines.

c. Comment est la chambre à louer ?
☐ Elle est grande.
☐ Elle est moderne.
☐ Elle est lumineuse.

d. Pourquoi est-ce que Fred loue la chambre ?
☐ Il veut avoir de nouveaux amis.
☐ Le loyer n'est pas cher.
☐ Son ami va travailler à Avignon.

e. Qu'est-ce que Sara va faire samedi ?
☐ Elle va téléphoner à Fred.
☐ Elle va visiter le logement.
☐ Elle va payer le premier loyer.

 Production orale 10 points

4 **Le directeur d'une école de langues raconte à une journaliste son cursus universitaire et son parcours professionnel. Il se présente, explique sa formation, parle de son travail et de ses missions.**

Stanislas Batho

Profession : directeur d'une école de langue

Formation et diplômes :
2011 à 2013 : M2 – Langue anglaise (Université de Lille)
2011 : L3 – Gestion (Université de Lille)

Expériences :
Depuis 2016 : Directeur (CDI) – École Langues Plus à Pau
2013 à 2016 : Professeur d'anglais (CDD) – École English First à Biarritz

Missions :
• Gérer l'activité de l'école
• Recruter les professeurs et les employés
• Chercher des clients à l'étranger

Annexes

Portfolio

Pour chaque affirmation, cochez une des trois cases :

😊 **Je peux très bien le faire !**

😐 **Je peux le faire, mais j'ai des difficultés.**

☹️ **Je ne peux pas encore le faire.**

Quand vous cochez 😐 ou ☹️, révisez l'unité correspondante et faites à nouveau les exercices.

UNITÉ 1

Je peux...	À l'oral 😊	À l'oral 😐	À l'oral ☹️	À l'écrit 😊	À l'écrit 😐	À l'écrit ☹️
épeler un mot						
saluer une personne						
prendre congé						
nommer les objets de la classe						
compter en français jusqu'à 99						
citer les jours de la semaine						

Je comprends...	À l'oral 😊	À l'oral 😐	À l'oral ☹️	À l'écrit 😊	À l'écrit 😐	À l'écrit ☹️
les consignes données en classe						
le nom des objets de la classe						
les chiffres et les nombres donnés en français						
les jours de la semaine donnés en français						

UNITÉ 2

Je peux...	À l'oral 😊	À l'oral 😐	À l'oral ☹️	À l'écrit 😊	À l'écrit 😐	À l'écrit ☹️
me présenter, donner des informations personnelles						
présenter une personne						
demander des informations personnelles à quelqu'un						
réserver une chambre d'hôtel en français						
compter en français jusqu'à 1 000 000						

Je comprends...	À l'oral 😊	À l'oral 😐	À l'oral ☹️	À l'écrit 😊	À l'écrit 😐	À l'écrit ☹️
le nom des pays						
les nationalités						
les numéros de téléphone						
les dates						
les mois de l'année						
les saisons						

Portfolio

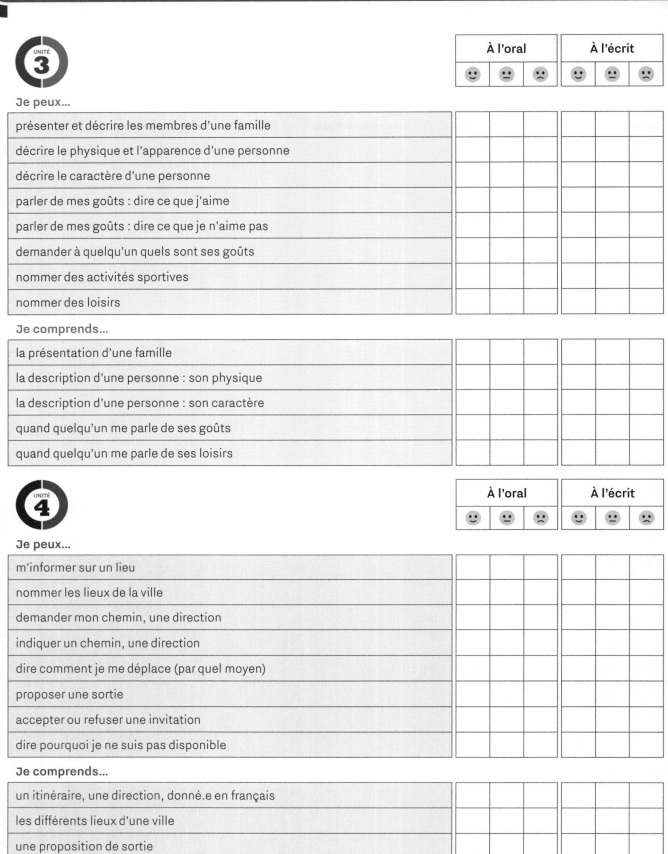

UNITÉ 3

Je peux...	À l'oral			À l'écrit		
	🙂	😐	☹️	🙂	😐	☹️
présenter et décrire les membres d'une famille						
décrire le physique et l'apparence d'une personne						
décrire le caractère d'une personne						
parler de mes goûts : dire ce que j'aime						
parler de mes goûts : dire ce que je n'aime pas						
demander à quelqu'un quels sont ses goûts						
nommer des activités sportives						
nommer des loisirs						

Je comprends...

	À l'oral			À l'écrit		
la présentation d'une famille						
la description d'une personne : son physique						
la description d'une personne : son caractère						
quand quelqu'un me parle de ses goûts						
quand quelqu'un me parle de ses loisirs						

UNITÉ 4

Je peux...	À l'oral			À l'écrit		
	🙂	😐	☹️	🙂	😐	☹️
m'informer sur un lieu						
nommer les lieux de la ville						
demander mon chemin, une direction						
indiquer un chemin, une direction						
dire comment je me déplace (par quel moyen)						
proposer une sortie						
accepter ou refuser une invitation						
dire pourquoi je ne suis pas disponible						

Je comprends...

	À l'oral			À l'écrit		
un itinéraire, une direction, donné.e en français						
les différents lieux d'une ville						
une proposition de sortie						
quand quelqu'un accepte ou refuse une invitation						
quand quelqu'un explique pourquoi il n'est pas disponible						

UNITÉ 5

Je peux...	À l'oral			À l'écrit		
	🙂	😐	🙁	🙂	😐	🙁
décrire mon quotidien, parler de mes activités quotidiennes						
me situer dans le temps en français (indicateurs de temps)						
nommer différents fruits et légumes						
nommer différents vêtements						
m'adresser à un.e vendeur.euse (pour demander le prix)						
décrire un vêtement						

Je comprends...

quand quelqu'un parle de son quotidien, de ses activités						
les réponses des vendeurs à mes questions						
le prix d'un article (aliments, objets, etc.)						
les moments de la journée et de la semaine donnés en français						

UNITÉ 6

Je peux...	À l'oral			À l'écrit		
	🙂	😐	🙁	🙂	😐	🙁
réaliser une recette						
exprimer des quantités						
nommer des ingrédients						
nommer des ustensiles de cuisine						
commander au restaurant et demander l'addition						
poser des questions sur un menu au restaurant						
raconter un événement au passé						

Je comprends...

comment réaliser un plat à partir d'une recette (ingrédients, quantités et préparation)						
les réponses d'un serveur à mes questions au sujet du menu						
un événement passé						

Portfolio

UNITÉ 7

Je peux...	À l'oral			À l'écrit		
	🙂	😐	🙁	🙂	😐	🙁
donner des conseils de santé à quelqu'un						
dire où j'ai mal, décrire mon état de santé						
proposer un projet						
raconter un voyage						
donner une appréciation, un avis						

Je comprends...

	À l'oral			À l'écrit		
des conseils de santé						
le nom des professions de la santé						
le récit d'un voyage, le résumé d'une expérience						
les appréciations, les avis						

UNITÉ 8

Je peux...	À l'oral			À l'écrit		
	🙂	😐	🙁	🙂	😐	🙁
expliquer un cursus scolaire, universitaire (études, stages, formations)						
décrire un travail, un profil professionnel						
décrire un logement (mobilier et type de logement)						
comparer des logements						
parler du temps qu'il fait						

Je comprends...

	À l'oral			À l'écrit		
la présentation d'un cursus universitaire						
le profil d'un poste (type de contrat et missions)						
la description d'un logement, les petites annonces de location						
la météo						

I COMPRÉHENSION DE L'ORAL 25 POINTS

Vous allez entendre 2 fois un document. Il y a 30 secondes de pause entre les 2 écoutes puis vous avez 30 secondes pour vérifier vos réponses. Lisez les questions.

◀ Exercice 1 [4 points]

🎧 91 **Vous recevez un message vocal de votre ami Gérard.**
Écoutez et cochez (✔) la bonne réponse.

1. À quel moment vous avez rendez-vous avec Gérard ?   [1 point]

   a. ☐ Le matin.   b. ☐ L'après-midi.   c. ☐ Le soir.

2. Gérard vous propose d'aller où ?   [1 point]

   a. ☐   b. ☐   c. ☐

3. À quelle heure vous retrouvez Sylvie et Julien ?   [1 point]

   a. ☐ 14 h 30.   b. ☐ 16 h 30.   c. ☐ 18 h 30.

4. Gérard vient comment à votre rendez-vous ?   [1 point]

   a. ☐ À vélo.   b. ☐ À pied.   c. ☐ En bus.

◀ Exercice 2 [4 points]

🎧 92 **Vous entendez une annonce sur une radio française en ligne.**
Écoutez et cochez (✔) la bonne réponse.

1. Aujourd'hui, Radio Soleil fait gagner des places pour quoi ?   [1 point]

   a. ☐   b. ☐   c. ☐

2. Quand on peut jouer avec Radio Soleil ?   [1 point]

   a. ☐ Quand on entend le code.

   b. ☐ Quand l'animateur donne le signal.

   c. ☐ Quand la radio passe une chanson de Jain.

3. Qu'est-ce qu'on doit faire pour jouer ? `1 point`

a. ☐

b. ☐

c. ☐

4. À quelle heure s'arrête le jeu ? `1 point`

a. ☐

b. ☐

c. ☐

Exercice 3 `4 points`

🎧 93 **Vous recevez un message sur votre messagerie vocale. Écoutez et cochez (✔) la bonne réponse.**

1. Qu'est-ce que Julie vous demande d'acheter ? `1 point`
   a. ☐ Des fruits.   b. ☐ Des épices.   c. ☐ De la farine.

2. Quelle quantité de fromage vous devez prendre ? `1 point`
   a. ☐ 150 grammes.   b. ☐ 250 grammes.   c. ☐ 350 grammes.

3. Qu'est-ce que Julie va utiliser pour faire son dessert ? `1 point`
   a. ☐ Des fruits.   b. ☐ Du fromage.   c. ☐ Du chocolat.

4. Qu'est-ce que vous faites à 18 h ? `1 point`
   a. ☐ Vous allez à la maison.
   b. ☐ Vous faites les courses.
   c. ☐ Vous préparez le dîner.

Exercice 4 `8 points`   *2 points par bonne réponse*

🎧 94 **Vous êtes en France. Vous entendez ces conversations. Écoutez et associez chaque dialogue à une photo. Notez sous chaque photo le numéro du dialogue correspondant. (Attention, il y a 6 photos mais seulement 4 dialogues.)**

a. Dialogue n° ....

b. Dialogue n° ....

c. Dialogue n° ....

d. Dialogue n° _____   e. Dialogue n° _____   f. Dialogue n° _____

Exercice 5   `5 points`

🎧 95 **Vous allez entendre un message. Quels objets sont donnés dans le message ?**
Vous entendez le nom de l'objet ? Cochez (✔) oui. Sinon, cochez (✔) non. Puis vous allez entendre
à nouveau le message. Vous pouvez compléter vos réponses.

1.

2.

3.

4.

5.

a. ☐ oui.   a. ☐ oui.   a. ☐ oui.   a. ☐ oui.   a. ☐ oui.
b. ☐ non.   b. ☐ non.   b. ☐ non.   b. ☐ non.   b. ☐ non.

II COMPRÉHENSION DES ÉCRITS 25 POINTS

Exercice 1   `6 points`

Vous recevez ce message sur un forum d'échanges linguistiques.
Lisez et cochez (✔) la bonne réponse.

> Forum des échanges
>
> http://www.echanges-linguistiques.com
>
> **Kouadio Kouame**, Bordeaux
> *16 mars 2020*
>
> Bonjour,
> Je m'appelle Kouadio Kouame. J'ai 30 ans. Je suis né en Côte d'Ivoire. Je suis français.
> Je suis professeur de mathématiques dans un lycée. Ma femme est italienne, elle est médecin
> et elle a 28 ans. Nous habitons à Bordeaux. Est-ce que tu connais la France ? Pendant mon temps
> libre, j'aime aller au musée. Il y a beaucoup de choses à découvrir à Bordeaux. Et dans ta ville ?
> Tu aimes les sorties culturelles ? Réponds-moi vite !
> Au revoir.
> Kouadio

1. Kouadio a quel âge ? `1 point`

    a. ☐ 25 ans.   b. ☐ 28 ans.   c. ☐ 30 ans.

2. Quelle est la nationalité de Kouadio ? `1 point`

    a. ☐ Il est italien.   b. ☐ Il est français.   c. ☐ Il est ivoirien.

3. Quelle est la profession de Kouadio ? `1,5 point`

    a. ☐   b. ☐   c. ☐

4. Où habite Kouadio ? `1 point`

    ☐ En Italie.

    ☐ En France.

    ☐ En Côte d'Ivoire.

5. Où Kouadio aime aller pendant son temps libre ? `1,5 point`

    a. ☐   b. ☐   c. ☐

◀ **Exercice 2** `6 points`

Vous êtes à Tours, en France. Vous recevez ce message d'un ami français.
Lisez et cochez (✔) la bonne réponse.

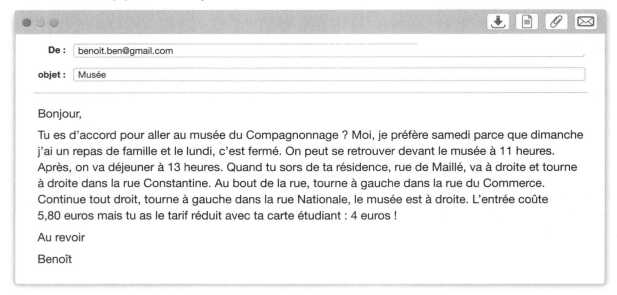

De : benoit.ben@gmail.com

objet : Musée

Bonjour,

Tu es d'accord pour aller au musée du Compagnonnage ? Moi, je préfère samedi parce que dimanche j'ai un repas de famille et le lundi, c'est fermé. On peut se retrouver devant le musée à 11 heures. Après, on va déjeuner à 13 heures. Quand tu sors de ta résidence, rue de Maillé, va à droite et tourne à droite dans la rue Constantine. Au bout de la rue, tourne à gauche dans la rue du Commerce. Continue tout droit, tourne à gauche dans la rue Nationale, le musée est à droite. L'entrée coûte 5,80 euros mais tu as le tarif réduit avec ta carte étudiant : 4 euros !

Au revoir

Benoît

1. Benoît propose d'aller au musée quel jour ? `1 point`

    a. ☐ Lundi.   b. ☐ Samedi.   c. ☐ Dimanche.

2. Vous avez rendez-vous avec Benoît à quelle heure ? `1 point`

    a. ☐ 11 heures.   b. ☐ 12 heures.   c. ☐ 13 heures.

3. Benoît vous donne rendez-vous où ? `1 point`

    a. ☐ Chez lui.   b. ☐ Devant le musée.   c. ☐ À votre résidence.

4. Quel itinéraire propose Benoît pour arriver au musée ? `2 points`

                    a. ☐   b. ☐

                    c. ☐

5. Quel est le prix de l'entrée du musée avec votre carte étudiant ? `1 point`

    a. ☐ 4 euros.   b. ☐ 5 euros.   c. ☐ 5,80 euros.

◀ Exercice 3   `6 points`

Vous êtes à Nice dans une école de langue. Vous voulez vous inscrire aux activités culturelles et sportives. Lisez et cochez (✔) la bonne réponse.

École de langue de Nice

PROGRAMME DES ACTIVITÉS

Dessin
Pour apprendre à dessiner, participez à cet atelier le mercredi de 17 h à 18 h 30. *Salle de dessin.*

Cinéma
Venez voir les nouveaux films le vendredi à 18 h 30.
Salle de réunion, 1er étage.

Visites culturelles
Découvrez les musées de la ville avec un professeur d'histoire de l'art.
Pour connaître la liste des visites, renseignez-vous à l'accueil.

Yoga
Venez vous détendre le mardi de 19 h à 20 h.
Salle du cloître.

Randonnée
Venez marcher 2 heures dans la nature. Retrouvons-nous devant l'école le lundi à 12 h ou le samedi à 14 h.

1. Vous aimez visiter les expositions, quelle activité vous choisissez ? `1 point`
   a. ☐ Dessin.
   b. ☐ Randonnée.
   c. ☐ Visites culturelles.

2. Quel jour vous pouvez regarder un film ? `1 point`
   a. ☐ Le vendredi.
   b. ☐ Le samedi.
   c. ☐ Le dimanche.

3. À quelle heure vous pouvez faire du dessin ? `1 point`
   a. ☐ 16 h.
   b. ☐ 17 h.
   c. ☐ 18 h 30.

4. À quel moment de la journée vous pouvez faire du yoga ? `2 points`
   a. ☐ Le matin.
   b. ☐ L'après-midi.
   c. ☐ Le soir.

5. Le samedi, à quelle heure vous allez marcher dans la nature ? `1 point`
   a. ☐ À midi.
   b. ☐ À 14 heures.
   c. ☐ À 16 heures.

◀ Exercice 4   `7 points`

Vous lisez cette information sur le site de la ville d'Albi. Répondez aux questions et cochez (✔) la bonne réponse.

https://www.mairie-albi.fr/fr/le-musee-de-la-mode

Albi   Rechercher 🔍

DÉCOUVREZ LA VILLE | JARDIN | CINÉMA | CAFÉ | **MUSÉE** | PLAN | CONTACT

LE MUSÉE DE LA MODE D'ALBI

Dans un vieux couvent, découvrez les vêtements et les accessoires de la collection personnelle de Dominique Miraille. Des visites commentées présentent des costumes historiques très rares et des objets insolites.

Chaque année, une exposition sur un thème différent. Cette année, le musée de la mode propose l'exposition anniversaire : « Dix ans ».

Tarif normal : 6 €
Tarif réduit : 4 €
(enfants 9-14 ans, étudiants et demandeurs d'emploi).

Ouvert du mardi au dimanche de 9 h 30 à 12 h et de 14 h 30 à 18 h

1. Qu'est-ce qu'on peut voir dans ce musée d'Albi ? (2 points)

a. ☐
b. ☐
c. ☐

2. Qui est Dominique Miraille ? (1,5 point)
   a. ☐ un guide touristique.
   b. ☐ un employé du musée.
   c. ☐ un collectionneur de costumes.

3. Cette année, le thème de l'exposition est... (1,5 point)
   a. ☐ les objets insolites.
   b. ☐ l'anniversaire du musée.
   c. ☐ les accessoires historiques.

4. Combien coûte l'entrée du musée pour un étudiant ? (1 point)
   a. ☐ 4 euros. b. ☐ 5 euros. c. ☐ 6 euros.

5. Le musée ferme quel jour ? (1 point)
   a. ☐ Le lundi. b. ☐ Le mardi. c. ☐ Le dimanche.

III PRODUCTION ÉCRITE 25 POINTS

Exercice 1 10 points

**Vous êtes en France. Une association propose des activités artistiques.
Complétez la fiche d'inscription.**

NOM : _____ (1 point)

Prénom : _____ (1 point)

Date de naissance : _____ (1 point)

Nationalité : _____ (1 point)

Adresse : _____ (2 points)

Quelles activités ? 1. _____ (1 point)

2. _____ (1 point)

Quels jours ? _____ et _____ (2 points)

Exercice 2 [15 points]

Vous avez reçu un e-mail de votre ami Louis. Vous répondez à son message et à ses questions. Vous demandez les dates de son séjour dans votre pays. (40 mots minimum)

De : louistiti75@gmail.com

objet : En avril dans ton pays !

Salut !

Comment vas-tu ? J'ai une bonne nouvelle : en avril, je viens découvrir ton pays !

Est-ce qu'on peut se rencontrer ? Quelle est la météo dans ton pays en avril ?

Quelles sont les villes à voir ? Quelles activités je peux faire ?

Au revoir !

Louis

IV PRODUCTION ORALE 25 POINTS

Exercice 1 : L'entretien dirigé

Répondez aux questions suivantes de l'examinateur.

→ Comment vous appelez-vous ?
→ Avez-vous des frères et des sœurs ?
→ Quelles activités faites-vous ?
→ Quel film adorez-vous ?
→ Qu'est-ce que vous aimez lire ?

Exercice 2 : L'échange d'informations

Posez des questions à l'examinateur à l'aide des mots suivants.

| Prénom | Pays | Profession | Numéro de téléphone | Lire | Sport |

Exercice 3 : Le dialogue simulé

Vous êtes au marché à Marseille en France. Vous posez des questions sur les prix et les quantités au vendeur, vous achetez et vous payez. L'examinateur joue le rôle du vendeur.

Transcriptions

Découvrez !

Leçon 2

Épeler et compter

Piste 2. Activité 1
Ex. : t 1. b 2. j 3. e 4. r 5. u 6. g 7. i 8. z

Piste 3. Activité 2
Ex. : Paris 1. Lyon 2. Nîmes 3. Nantes 4. Genève
5. Strasbourg 6. Bordeaux

Piste 4. Activité 3
Les garçons : 1. Gabriel 2. Louis 3. Raphaël 4. Léo
5. Adam 6. Jules 7. Lucas 8. Maël 9. Hugo 10. Liam
Les filles : 1. Emma 2. Louise 3. Jade 4. Alice 5. Mila
6. Chloé 7. Inès 8. Lina 9. Léa 10. Léna

Piste 5. Activité 4
12 – 79 – 22 – 53 – 11 – 23 – 75 – 27 – 3 – 97 – 5 – 70 – 83 – 28

Piste 6. Activité 5
Ex. : Caroline : 02 41 34 17 56 a. Daniel : 03 28 38 83 62
b. Sylvie : 05 56 73 04 12 c. Laurent : 01 42 99 47 23 d. Anne :
04 93 16 77 22

Piste 7. Activité 8
Ex. : Fermez votre livre. a. Qu'est-ce que ça veut dire « un
stylo » ? b. Monsieur, je ne comprends pas. c. Travaillez par
deux. d. Madame, comment on dit « book » en français ?
e. Comment ça s'écrit « cahier » ? f. Écoutez. g. Ouvrez
votre livre page 16. h. Vous pouvez répéter ? i. Je ne sais
pas. j. Vous comprenez ? Ça va ?

Entrez en contact !

Leçon 4

Se présenter

Piste 8. Activité 1
Ex. : Bonjour, je m'appelle Alejandra. Je suis espagnole.
Mon pays ? L'Espagne. Et toi ?
a. Salut, je m'appelle Agneska. Je suis polonaise.
Mon pays ? La Pologne. Et vous ?
b. Bonjour, je m'appelle Reginald. Je suis nigérian.
Mon pays : le Nigeria. Et toi ?
c. Bonjour, je m'appelle Jianzhen. Je suis chinoise.
Mon pays ? La Chine. Et toi ?
d. Salut, je m'appelle Luigi. Je suis italien.
Mon pays : l'Italie. Et toi ?
e. Bonjour, je m'appelle Martin. Je suis suisse.
Mon pays : la Suisse. Et toi ?
f. Salut, je m'appelle Abel. Je suis mexicain. Mon pays ?
Le Mexique.

Piste 9. Activité 8
Ex. : Je m'appelle – Il s'appelle a. Tu t'appelles – Vous vous
appelez b. Je m'appelle – Tu t'appelles c. Elle s'appelle –
Vous vous appelez d. Tu t'appelles – Il s'appelle

Piste 10. Activité 9
Ex. : Je m'appelle Nina. a. Je suis mexicain. b. Mon pays ?
Le Nigeria. c. Il s'appelle Claude. d. Vous êtes brésilien ?
e. Elle est espagnole. f. Vous vous appelez Adrienne ?
g. Tu t'appelles Jade ? h. Ton pays ? La Pologne ?

Leçon 5

Échanger des informations personnelles

Piste 11. Activité 2
– Bonjour, c'est pour une inscription.
– Bonjour. Bienvenue ! Quel est votre nom ?
– Muller.
– Comment ça s'écrit ?
– M-U-L-L-E-R.
– Quel est votre prénom ?
– Wilfried.
– Comment ça s'écrit ?
– W-I-L-F-R-I-E-D.
– Vous parlez quelle langue ?
– Je parle allemand.
– Quel est votre e-mail ?
– w.muller@gmail.com.
– Merci. Au revoir.
– Au revoir.

Piste 12. Activité 11. Phonétique
Ex. : O-R-S-O-N-W-A-deux L-A-S arobase orange point fr.
a. P-I-E-deux R-E point M-O-U-deux S-E-A-U arobase
gmail point fr.
b. L-A-U-R-E tiret B-R-I-deux L-E arobase hotmail point com.
c. D-A-N-I-E-L point D-O-R-B-I-E-N arobase gmail point fr.
d. T-H-E-R-E-S-E tiret G-A-R-C-I-A arobase orange point fr.
e. J-O-H-N point F-E-R-G-U-S-O-N arobase orange point fr.
f. G-O-N-Z-A-G-U-E tiret V-I-deux L-A-G-R-A-N-D-E
arobase yahoo point fr.

Leçon 6

Préciser des informations

Piste 13. Activité 2
La réceptionniste : Hôtel Louise bonjour !
Ludovic : Bonjour Madame. C'est pour réserver
une chambre… Le 16 mars 2020.
La réceptionniste : Une nuit ?
Ludovic : Oui, une nuit.
La réceptionniste : Un adulte ?
Ludovic : Non, deux adultes.
La réceptionniste : Quel est votre nom ?
Ludovic : Ledoux.
La réceptionniste : Comment ça s'écrit ?

Transcriptions

Ludovic : L-E-D-O-U-X.
La réceptionniste : Quel est votre prénom ?
Ludovic : Ludovic.
La réceptionniste : Et votre numéro de téléphone ?
Ludovic : 06 82 63 04 18.
La réceptionniste : Quel est votre e-mail ?
Ludovic : l-ledoux@gmail.com.
La réceptionniste : Monsieur Ledoux, vous avez une réservation pour le 16 mars.
Ludovic : Merci. Bonne journée.
La réceptionniste : Au revoir, monsieur.

Piste 14. Activité 3
Ex. : Paris : 2 206 488 habitants. a. Marseille : 862 211 habitants. b. Lyon : 515 695 habitants. c. Toulouse : 475 438 habitants. d. Nice : 342 637 habitants. e. Nantes : 306 694 habitants. f. Bordeaux : 254 436 habitants.

Piste 15. Activité 11
1. Bonjour, quel est votre nom ? 2. Quel est votre prénom ? 3. Quel est votre numéro de téléphone ? 4. Quelle est votre adresse ? 5. Quel est votre e-mail ? 6. Quelle est votre profession ?

Bilan

Piste 16. Activité 1
L'employé de la banque : Bourso Banque bonjour !
La cliente : Bonjour ! C'est pour une ouverture de compte s'il vous plaît.
L'employé de la banque : Oui... Quel est votre nom ?
La cliente : Rovier. R-O-V-I-E-R.
L'employé de la banque : Quel est votre prénom ?
La cliente : Louise.
L'employé de la banque : Quelle est votre date de naissance ?
La cliente : C'est le 15 août 1964.
L'employé de la banque : Quelle est votre adresse ?
La cliente : 10 rue d'Italie, à Paris, France.
L'employé de la banque : Et quel est votre numéro de téléphone ?
La cliente : 06 68 41 20 77.
L'employé de la banque : Vous avez un e-mail ?
La cliente : Oui, louise.rovier@gmail.com.
L'employé de la banque : Très bien, merci. Je suis...

3 Faites connaissance !

Leçon 8

Parler de la famille

Piste 17. Activité 2
Je me présente : je m'appelle Irina Dupré-Ortega. Dupré, c'est le nom de ma mère. Elle est française. Elle habite à Fougères. Fougères, ça s'écrit F-O-U-G-E accent grave-R-E-S. Mon père s'appelle Federico Ortega. C'est un musicien espagnol. J'ai deux sœurs. Elles sont médecins. Mon fils, Thomas, a six ans. Il parle français et espagnol.

Piste 18. Activité 7
Ex. : Mon oncle parle japonais. a. Votre grand-mère s'appelle Nathalie. b. Ta cousine parle anglais ? c. Il habite chez ses oncles. d. Sa tante s'appelle Hélène Pila. e. Notre petit-fils habite à Paris. f. Lucien, c'est ton grand-père.

Piste 19. Activité 10. Dictée
a. Sa femme est musicienne. b. Leur tante a trois enfants. c. Votre oncle est professeur ? d. Nos parents ont cinquante ans.

Piste 20. Activité 11
a. Katalin, c'est ma tante, elle a 59 ans et elle est médecin.
b. Ma grand-mère s'appelle Carla. Elle est écrivaine. Elle a 91 ans.
c. Clotilde, c'est ma sœur. Elle est réalisatrice et elle a 48 ans.
d. C'est ma cousine Magdalena. Elle a 44 ans et elle est professeur.
e. C'est ma fille. Elle s'appelle Fatima. Elle est artiste et elle a 22 ans.
f. Ma mère Pia est musicienne. Elle a 69 ans.

Leçon 9

Décrire une personne

Piste 21. Activité 2
1. Lucien est grand et blond. Il a les cheveux courts. Il porte un pantalon et une veste.
2. Marco est blond. Il porte un short et une chemise. Il est petit.
3. Surya porte une jupe et une chemise. Elle a les cheveux longs et bruns. Elle a un sac.
4. Judith a les cheveux courts. Elle porte une robe et une veste. Elle a un sac.

Piste 22. Activité 4
Ex. : Elle est sympa. a. Elle est brune. b. Elle est adorable. c. Elle est sérieuse. d. Elle est élégante. e. Elle est blonde. f. Elle est grande. g. Elle est petite. h. Elle est sportive.

Piste 23. Activité 10. Dictée
a. Ma collègue, c'est la fille avec les cheveux courts. Elle est jolie et adorable.
b. Mon collègue, c'est le garçon avec les cheveux longs. Il est sérieux et élégant.
c. Ma copine, c'est la femme avec le chapeau. Elle est belle et sportive.
d. Mon ami, c'est l'homme avec les lunettes. Il est sympa et chic.

Piste 24. Activité 11 a
Marine est petite et brune avec les cheveux longs. Elle a une robe et elle porte toujours un chapeau.

Piste 25. Activité 13. Phonétique
a. Salut, tu es français ? b. Ton pantalon est élégant.

c. Elle a des cheveux bruns. d. Votre document est long.
e. Elle porte un grand chapeau. f. Son vêtement est court.

Leçon 10

Échanger sur ses goûts

Piste 26. Activité 2 a
Le père de Marta : Marta ?
Marta : Oui Papa !
Le père de Marta : Il est 11 heures. Ta mère et ta sœur sont au parc. Tu aimes courir, non ?
Marta : Non, papa. Je n'aime pas le sport.
Le père de Marta : Tu préfères un bon film ? Est-ce que tu aimes aller au cinéma ?
Marta : Papa… Non !… Je n'aime pas le ciné.
Le père de Marta : Bon… Tu n'aimes pas le sport… Tu n'aimes pas le ciné… Qu'est-ce que tu aimes ?
Marta : Euh… J'aime bien écouter la musique sur mon téléphone, regarder des vidéos et… oui… j'A DO RE parler avec mes amis sur Facebook !
Le père de Marta : Ahhhh… les amis Facebook ! Moi je n'aime pas Facebook.

Piste 27. Activité 4
Ex. : Le samedi, j'adore danser avec mes amis.
a. Les enfants regardent la télé. b. Ses loisirs préférés sont le cinéma et le foot. c. Elle aime aller à l'opéra. d. Vous allez au théâtre vendredi soir ? e. Nous aimons lire des magazines. f. Elles aiment les beaux musées.

Piste 28. Activité 6
Ex. : Tu ne parles pas français ? a. Mon frère habite à Paris.
b. Amir préfère le basket. c. Je ne regarde pas la télé.
d. Nos filles parlent anglais. e. Vous n'êtes pas français ?
f. Claire et Pascal n'aiment pas l'opéra. g. Nous avons trois enfants. h. Je ne m'appelle pas Gonzalo.

Piste 29. Activité 10. Dictée
a. Je n'aime pas le sport. b. Nous préférons lire des magazines. c. Est-ce qu'ils aiment le foot ? d. Qu'est-ce que tu aimes ? e. Préfères-tu regarder la télé ?

Piste 30. Activité 12
J'adore l'opéra. C'est beau ! J'aime bien le théâtre aussi, c'est sympa. Mais le cinéma, non, je n'aime pas. Je préfère regarder la télé. C'est agréable. Et j'adore lire, lire des livres… des magazines.

Piste 31. Activité 13. Phonétique
a. Le poète a des chaussures chics et un beau chapeau.
b. Nous avons le numéro du nouveau restaurant. c. Leur collègue japonais aime la fête et les karaokés. d. Je préfère le professeur de ma sœur.

Bilan

Piste 32. Activité 1
Salut Virginie, c'est moi Kamala. J'ai un nouveau copain !
Il s'appelle Valentin. Il a 40 ans. Il est timide et adorable.

Il est beau et il a des cheveux courts et blonds. Valentin est écrivain et sa sœur est musicienne. J'aime l'opéra et il aime l'opéra. J'adore le théâtre et il adore le théâtre !

 # Organisez une sortie !

Leçon 12

S'informer sur un lieu

Piste 33. Activité 2
Je m'appelle Pauline Wappers. Je suis américaine.
Ma famille habite aux États-Unis. J'habite à Chartres avec mon copain français. Chartres, c'est une ville historique à une heure au sud-ouest de Paris. Le symbole de Chartres, c'est sa splendide cathédrale. J'aime ma ville et mon quartier. J'habite à dix minutes à pied de la cathédrale. Dans ma rue, la rue Pascal, il y a un marché et des lieux pour les loisirs : un cinéma, un café, un grand jardin et un restaurant italien.

Piste 34. Activité 8
Ex. : J'habite en France. a. Mes amis habitent au Mali.
b. Mon fils habite à Singapour. c. Tu habites au Vietnam ?
d. Mon frère habite en Suisse. e. Leurs enfants habitent aux États-Unis. f. Nous habitons en Tunisie.

Piste 35. Activité 10. Dictée
a. Ici, il y a un grand parking. b. Le marché est à côté de la mairie. c. Là, au nord, c'est le quartier de la gare. d. L'hôtel est loin de la station de métro.

Piste 36. Activité 13. Phonétique
Ex. : Ils sont à Paris pour le week-end. a. Elle habite en France et sa famille habite aux États-Unis. b. Dans mon quartier, il y a une cathédrale et un beau musée. c. À Lyon, en France, il y a le tramway et le métro. d. Là, au sud, il y a la gare. e. Il y a un parking et à côté, un petit jardin et un grand stade. f. J'habite au sud de Toulouse, à côté d'un grand parc.

Leçon 13

Indiquer un chemin

Piste 37. Activité 1
– Bonjour, madame. Excusez-moi, je cherche la poste de la rue de la Liberté. C'est loin ?
– Non, ce n'est pas loin. C'est à dix minutes à pied. Vous avez un plan du quartier ?
– Oui. Voilà mon plan.
– Regardez : nous sommes ici, rue de Maubeuge. Là, c'est l'église Saint-Germain. Au métro, prenez à droite dans l'avenue Buffon.
– Au bout de l'avenue, je tourne à droite ou à gauche ?
– Continuez tout droit. Il y a l'hôpital à 200 mètres. La première rue à gauche, c'est la rue de la Liberté. La poste est à côté de la pharmacie.
– Merci madame.

Transcriptions

🎧 **Piste 38. Activité 3**

Dialogue n° 1 :
– Il y a un arrêt de bus dans la rue ?
– Non, allez à la gare routière. C'est au bout, à droite !

Dialogue n° 2 :
– Ta famille aime le quartier ?
– Oui, c'est calme et il y a des jeux pour enfants.

Dialogue n° 3 :
– Il y a une banque à côté d'ici ?
– Non, il y a un distributeur de billets dans le supermarché.

Dialogue n° 4 :
– Ta fille va à la crèche ?
– Non, elle a six ans. Elle va à l'école !

🎧 **Piste 39. Activité 8**

Ex. : Regarde le plan. a. On cherche le musée. b. Monsieur, allez tout droit. c. Là, tu tournes à gauche. d. Va tout droit ! e. Continuons deux cents mètres. f. Ils vont en Espagne.

🎧 **Piste 40. Activité 12. Phonétique**

Ex. : soude – soude a. tu – tu b. lu – loup c. roue – rue d. douce – douce e. mou – mue f. sur – sur

Leçon 14

Proposer une sortie

🎧 **Piste 41. Activité 1 c**

Message 1, lundi 16 décembre à 19 h 45
Salut Fab. C'est Dora. Merci pour l'invitation. Je ne peux pas. C'est loin. C'est à une heure à pied et il n'y a pas le bus. Bises.

Message 2, mardi 17 décembre à 10 h 45
Bonjour Fabien, c'est moi Colin. J'adore la sculpture mais demain, je déjeune avec mon oncle et mes cousins. Je ne suis pas libre. À bientôt Fabien.

Message 3, mardi 17 décembre à 11 h 28
Fab, c'est moi Inna. 12 euros ! Non, désolée. Je ne peux pas. Je préfère les sorties gratuites.

Message 4, aujourd'hui à 12 h 24
Bonjour, c'est Madeleine. Merci pour l'invitation. Le samedi matin, je fais mon jogging entre neuf heures et onze heures. Je ne peux pas venir. Je suis libre dimanche.

🎧 **Piste 42. Activité 3**

Ex : Mardi matin, je viens à neuf heures.
a. Les enfants vont à l'école à huit heures et quart.
b. Tu es libre dimanche soir à huit heures ?
c. Allons au restaurant à côté de la banque à midi.
d. Le concert finit à minuit.
e. Le matin, le musée ouvre à dix heures.
f. Demain soir, Marie vient à sept heures et demie.
g. Je fais mon jogging à quatre heures de l'après-midi.
h. Je vais au cinéma samedi soir à sept heures moins le quart.

🎧 **Piste 43. Activité 4**

Ex. : On fait une promenade à seize heures ?
a. Je finis le travail à vingt heures.
b. L'animation pour les enfants est entre dix heures et midi.

c. Ils finissent le déjeuner à deux heures et demie.
d. Vous venez au brunch demain à onze heures ?
e. Le film *Balade parisienne* finit à minuit.
f. Les musées ouvrent à dix heures moins le quart.

🎧 **Piste 44. Activité 8. Dictée**

a. Tes parents viennent avec toi ? b. Elle ne vient pas à l'exposition. c. Elles font un brunch entre dix heures et midi ? d. Qu'est-ce que vous faites demain matin ?

🎧 **Piste 45. Activité 10**

Daria : Allô ?
Marco : Allô Daria. C'est Marco. Ça va ?
Daria : Ça va ! Et toi Marco ?
Marco : Bien, merci. Je vais au cinéma mardi 15 à quinze heures. Au cinéma Pathé, il y a un super film italien. Tu es libre ? Tu veux venir ?
Daria : Mardi après-midi ? Deux minutes… je regarde… Non, je ne peux pas. Le mardi en avril, j'ai un cours de danse à quatorze heures, place de la République. Je finis à seize heures.
Marco : Et le 22 avril, après ton cours, tu veux boire un verre ?
Daria : D'accord. Le 22, je suis disponible entre dix-sept heures et vingt heures. Rendez-vous à la terrasse du bar « Le Moderne » à dix-sept heures !

Bilan

🎧 **Piste 46. Activité 1**

Chloé : Allô ?
Éric : Salut Chloé, c'est Éric. Tu vas bien ?
Chloé : Oui. Merci et toi.
Éric : Ça va ! Samedi matin, à onze heures, tu veux faire une balade avec moi, dans le parc de l'hôtel « Le Louis XV » ?
Chloé : D'accord. Où est l'hôtel « Le Louis XV » ?
Éric : À pied, c'est loin de chez toi ! Tu peux prendre le bus 22.
Chloé : L'arrêt du bus 22, c'est où ?
Éric : À 3 minutes à pied du métro République. Va au bout de la rue Clemenceau. Tourne à gauche, rue du Liban. Au cinéma, tu continues tout droit. L'arrêt du bus 22 est à 50 mètres, à côté de la pharmacie.
Chloé : D'accord ! À samedi !

UNITÉ 5 — Parlez de votre quotidien

Leçon 16

Décrire son quotidien

🎧 **Piste 47. Activité 2**

Je m'appelle Gaby. Je suis professeur. J'ai deux filles. Mon quotidien ? Je travaille du lundi au vendredi. Je vais souvent au lycée à pied, à quinze minutes de la maison. Parfois en bus. Je n'aime pas sortir. Je ne dîne jamais au restaurant : le soir, ma famille et moi, nous préférons manger chez nous. La semaine, je dors de onze heures à sept heures. Le mercredi, quand Lison et Valentina sont à la crèche, je travaille à la maison avec mon ordinateur. Je fais mon jogging, dans le parc, le mardi et le vendredi. Le week-end, je me lève toujours à neuf heures.

🎧▶ **Piste 48. Activité 10. Dictée**
a. Elle fait de la danse de midi à treize heures.
b. D'abord, je m'habille et après, je déjeune.
c. Ils vont parfois chez leurs amis français.
d. Qu'est-ce que tu fais après la sieste ?
e. Nous ne faisons jamais les courses le week-end.

Leçon 17
Faire les courses

🎧▶ **Piste 49. Activité 1**
Boubacar : Alors, www.mescoursesenligne.fr... Liste des produits... Les légumes. Je vais prendre... des carottes : trois kilos... des pommes de terre ? Combien ? Deux kilos. De l'ail... Les fruits... Ah oui, des fraises : quatre barquettes pour le pique-nique. Pour le poisson... du thon. J'adore le thon. Allez... 500 grammes... De la viande ? Non, j'ai des steaks à la maison... De la crème : je prends trois petits pots... Des œufs : six œufs ou douze œufs ? Douze œufs... C'est bon ! Voilà !
Sa femme : Boubacar !!!
Boubacar : Ouiiii ! Je suis dans la cuisine. Je fais les courses sur Internet.

🎧▶ **Piste 50. Activité 2**
1. – Vos tomates, combien elles coûtent ?
– Il y a une promotion. Deux euros le kilo.
2. – Combien coûtent les fraises ?
– Quatre euros la barquette.
3. – Il y a une promotion sur les poires ?
– Oui ! C'est six euros les trois.
4. – Combien coûte la confiture, s'il vous plaît ?
– C'est sept euros le pot et douze euros les deux.
5. – Combien coûte le lait ?
– Le lait, c'est deux euros la bouteille et dix euros trente les six.
6. – Je vais prendre des œufs.
– C'est trois euros les six, s'il vous plaît.

🎧▶ **Piste 51. Activité 5**
Ex. : J'aimerais du beurre, 200 grammes.
a. Nous allons prendre du saumon, 350 grammes s'il vous plaît.
b. Tu vas acheter sept melons.
c. Je vais commander du lait, douze bouteilles.
d. Des carottes s'il vous plaît, 500 grammes.
e. Je prends six œufs et des pâtes, trois paquets.
f. Vous prenez 800 grammes ou un kilo de tomates ?

🎧▶ **Piste 52. Activité 9**
Ex. : prenons a. prend b. prends c. prenez d. prennent
e. prends

🎧▶ **Piste 53. Activité 10. Dictée**
a. J'achète 500 grammes de poisson. b. Qu'est-ce que nous allons manger ? c. Vous prenez du melon ou

des fraises ? d. Ils font les courses à la fromagerie.
e. Tu n'aimes pas les produits laitiers ? f. Combien coûte le saumon ?

🎧▶ **Piste 54. Activité 13. Phonétique**
a. condiment – pomme – commerce b. poissonnerie – melon – commander c. fromagerie – combien – fromage
d. oignon – pomme – poisson

Leçon 18
Acheter des vêtements

🎧▶ **Piste 55. Activité 1**
Maria : Regarde, je suis sur « modeenligne ». J'adore ce site.
Sylvain : Qu'est-ce que c'est ?
Maria : C'est une boutique de vêtements en ligne. C'est nouveau ! Les vêtements ne sont pas chers. Il y a des vêtements pour le quotidien, pour le sport et pour le travail. Regarde ces sandales à 15 euros !
Sylvain : Elles sont sympas ! J'adore ce jean. Il coûte combien ?
Maria : Le jean bleu coûte 79 euros. Le jean vert, 89 euros. Je préfère le jean vert.
Sylvain : Le jean vert ? Tu ne portes jamais la couleur verte !
Maria : Pour sortir ou boire un verre avec des amis, c'est parfait ! Il est décontracté.
Sylvain : Et pour la taille ? Tu n'essaies pas ?
Maria : Non, je commande une taille et j'essaie chez moi. J'échange dans une boutique au centre commercial. C'est gratuit !

🎧▶ **Piste 56. Activité 4**
Ex. : Je vais acheter cette ceinture jaune. a. J'adore ton top rose ! b. Regarde ce foulard rouge. c. Tu essaies ce blouson noir ? d. Vous voulez ce short rouge ? e. Vos sandales noires sont très élégantes.

🎧▶ **Piste 57. Activité 5**
Ex. : ces chaussures a. cette cliente b. ces imperméables
c. cette mode d. cet accessoire e. ce magasin
f. ces vêtements g. ce jean

🎧▶ **Piste 58. Activité 9. Dictée**
a. Tu essaies ces sandales grises ? b. La cliente est dans le grand magasin. c. Je vais acheter un manteau décontracté.
d. Notre boutique est dans le centre commercial. e. Cet accessoire est parfait.

🎧▶ **Piste 59. Activité 12. Phonétique**
Ex. : gris / gris / gré a. vire / vire / vert b. cette / site / cette
c. ces / ces / ci d. cil / cil / sel e. île / aile / aile f. dit / dé / dit
g. les / les / lis h. mire / mer / mer

Bilan

🎧▶ **Piste 60. Activité 2**
Sarah : Élie, je vais faire les courses pour la soirée Halloween. Tu viens avec moi au centre commercial ?

Transcriptions

Élie : Non, je ne peux pas. Nos amis arrivent à 19 heures.
Je prépare le dîner jusqu'à 18 heures. Après, je me lave
et je m'habille.
Sarah : Tu as tes vêtements pour la soirée ?
Élie : Oui. J'ai une veste noire et un pull orange.
Sarah : Est-ce que tu veux un accessoire ?
Élie : Ah oui ! Tu peux m'acheter un chapeau noir s'il te plaît ?
Sarah : D'accord, je vais regarder ! Il y a une grande
boutique d'accessoires dans le centre commercial.

UNITÉ 6 — Partagez vos expériences !

Leçon 20
Faire une recette

🎧 Piste 61. Activité 1
Pour le poulet basquaise, couper les oignons, les poivrons
rouges et les tomates. Faire cuire le poulet dans une
cocotte avec de l'huile d'olive. Ajouter les oignons,
les poivrons rouges, les tomates, un peu d'ail et des herbes.
Saler et poivrer. Laisser cuire vingt minutes.

🎧 Piste 62. Activité 10
Ex. : il mange – tu manges **a.** je mange – nous mangeons
b. elle mange – ils mangent **c.** tu manges – elles mangent
d. je mange – tu manges **e.** nous mangeons – vous mangez
f. vous mangez – il mange

🎧 Piste 63. Activité 12. Phonétique
Ex. : la ratatouille **a.** du sel **b.** une cuillère **c.** de l'ail
d. une casserole **e.** une feuille de laurier **f.** de l'huile
g. les ingrédients **h.** délicieux

Leçon 21
Commander au restaurant

🎧 Piste 64. Activité 1
Le serveur : Vous avez choisi ?
Le client : Oui. En entrée, je vais prendre le guacamole.
Le serveur : Et pour vous madame ?
La cliente : Pas d'entrée pour moi. Je voudrais juste une
salade chinoise s'il vous plaît.
Le serveur : Et comme plat pour vous, monsieur ?
Le client : Un bœuf sauté aux légumes de saison.
Le serveur : Vous voulez des desserts ?
La cliente : Oui, une poire au chocolat.
Le client : Pas de dessert pour moi.
Le serveur : Et comme boisson ?
La cliente : Une carafe d'eau.
Le client : Et un pichet de vin, s'il vous plaît.

🎧 Piste 65. Activité 10. Dictée
a. J'ai réservé une table pour six personnes. **b.** Nous avons
choisi les desserts. **c.** On a payé l'addition. **d.** Vous avez fini
l'entrée ?

🎧 Piste 66. Activité 13. Phonétique
Ex. : le pain **a.** le café **b.** la main **c.** le matin **d.** s'il vous plaît
e. demain **f.** le lait **g.** les desserts **h.** bien

Leçon 22
Raconter un événement

🎧 Piste 67. Activité 1
L'histoire du jour
Bonjour, aujourd'hui, dans « l'histoire du jour », l'histoire
de Caroline et Mathieu. Caroline et Mathieu ont étudié à
l'université. Après leurs études, Caroline est partie travailler
à New York. Il y a un an, Mathieu a voyagé à New York et
il a retrouvé Caroline sur Times Square. Ils sont allés boire
un café et ils ont parlé… Beaucoup ! Il y a un mois, Mathieu
est retourné à New York et il a demandé Caroline en mariage
sur Times Square ! Ils se marient en juillet. À demain pour
une nouvelle « histoire du jour » !

Bilan

🎧 Piste 68. Activité 1
Pablo : Bonjour Fred ?
Fred : Salut, Pablo ! Tu as fait ta demande en mariage ?
Pablo : Oui. Hier, j'ai invité Sarah au cinéma. J'ai dit :
« Rendez-vous à 20 heures devant le cinéma, à côté de
la boulangerie. » Je suis arrivé à 20 heures mais pas Sarah.
À 20 heures 30, je suis entré dans le cinéma.
Fred : Et elle est arrivée ?
Pablo : Non. J'ai regardé le film et elle n'est pas arrivée.
Fred : Ah ?
Pablo : Oui, elle est allée à un autre cinéma à côté
d'une autre boulangerie !
Fred : Mais la demande en mariage, alors ?
Pablo : J'ai retrouvé Sarah à 22 heures et nous sommes
allés dans un petit restaurant italien. Après le dessert,
j'ai fait ma demande.
Fred : Et elle a aimé la bague ?
Pablo : Oui, elle a adoré !

UNITÉ 7 — Donnez votre avis !

Leçon 24
Conseiller

🎧 Piste 69. Activité 1
Ex. : Je n'ai pas dormi depuis deux jours. **1.** J'ai beaucoup
de fièvre. **2.** Je tousse et j'ai mal à la gorge. **3.** J'ai mal
au dos. **4.** J'ai mal aux dents. **5.** Je dois prendre des
antibiotiques. **6.** Je fume beaucoup.

🎧 Piste 70. Activité 10. Dictée
a. Mon fils a mal aux pieds et au dos. **b.** J'ai des douleurs au
ventre depuis deux semaines. **c.** Vous prenez ce traitement
depuis combien de temps ? **d.** Sa fille a mal à l'oreille depuis
trois jours. **e.** Il ne faut pas continuer votre traitement.

Leçon 25

Proposer un projet

🎧 Piste 71. Activité 5
1. Parce que j'habite en ville depuis vingt ans. 2. Parce que c'est un engrais naturel. 3. Parce qu'elle veut créer un jardin collectif. 4. Parce que c'est bon pour la santé. 5. Parce que je veux rencontrer mes voisins. 6. Parce qu'ils sont chers.

🎧 Piste 72. Activité 8. Dictée
a. On va partager un jardin pour respecter l'environnement.
b. Elles vont s'inscrire parce qu'elles ne connaissent rien au jardinage.
c. Dimanche prochain, les jardiniers vont embellir les parcs du quartier.
d. L'objectif de l'association est la végétalisation des villes.
e. Pour planter les tomates, il faut venir dans une semaine.

🎧 Piste 73. Activité 9
Ex. : Est-ce que vous faites souvent vos plantations de légumes ?
1. Est-ce que vous habitez dans le quartier ?
2. Pourquoi est-ce que vous voulez vous inscrire à l'association ?
3. Quelles sont vos activités le week-end ?
4. Dans votre jardin, est-ce que vous utilisez du compost ?
5. Quels sont vos légumes préférés ?
6. Quels sont les projets de votre association ?

🎧 Piste 74. Activité 11. Phonétique
Ex. : rend a. ma b. la c. sent d. chant e. passe f. pente

Leçon 26

Raconter un voyage

🎧 Piste 75. Activité 2
1. **Romain :** Je veux des vacances différentes cette année : je veux participer à un atelier avec un chef parce que j'adore préparer des nouveaux plats.
2. **Greg :** Cette année, les enfants sont chez leurs grands-parents. Ma femme et moi, on aime la marche. On veut partir, en couple, dans un lieu calme.
3. **Léa :** Marcher ? Aller à la mer ?... Ce n'est pas pour moi ! Les vacances pour moi, c'est découvrir les grandes villes européennes !

🎧 Piste 76. Activité 9. Dictée
a. Le prix du concours est un dîner dans un restaurant traditionnel.
b. Ils sont arrivés dans un aéroport moderne.
c. Ma mère ne s'est pas reposée après le voyage.
d. Nous avons pris beaucoup de photos.

🎧 Piste 77. Activité 11
Personne n° 1 : Merci pour l'invitation ! Nous avons passé une belle soirée chez vous. Le dîner, c'était délicieux !
Personne n° 2 : Le billet n'est pas cher mais c'était long : trois heures pour faire 150 kilomètres !
Personne n° 3 : On a visité un musée d'art moderne.

Un mot : magique. C'était MA-GIQUE. On a adoré !
Personne n° 4 : Dans ce resto, les plats sont bons mais c'était petit : quatre ou cinq tables. Nous avons attendu 45 minutes pour déjeuner.
Personne n° 5 : Le quartier est sympa. Il y a un grand parc, des jeux pour enfants. On peut faire du vélo et se promener. Nous sommes allés là ce week-end : c'était animé.

🎧 Piste 78. Activité 12. Phonétique
Ex. : C'est une ville animée ! a. C'est une infirmière américaine. b. Il est arrivé aux États-Unis. c. Nous avons dormi deux heures. d. Elle adore aller au bar avec ses amis. e. Ils sont allés à l'aéroport.

Bilan

🎧 Piste 79. Activité 1
Livia : Allô papa ?
Son père : Oui Livia. C'est moi ! Tu vas bien ?
Livia : Non, j'ai mal au dos depuis une semaine. Je ne peux pas me pencher.
Son père : Est-ce que tu as consulté ?
Livia : Oui, j'ai pris rendez-vous avec le docteur Aunoble il y a deux jours. C'était... court. Je suis entrée, je me suis assise, il n'a pas observé mes symptômes ! Cinq minutes pour avoir une ordonnance de paracétamol. Pfff !
Son père : Ce n'est pas sérieux. Il faut aller voir un BON médecin. Je t'envoie le numéro de mon docteur. Il est super !
Livia : Merci papa. Et la médecine traditionnelle chinoise, tu connais ? Moi, je voudrais essayer pour les douleurs au dos...
Son père : Je ne sais pas... je ne connais pas la médecine chinoise ! Tu peux...

UNITÉ 8 Informez-vous !

Leçon 28

Expliquer son cursus

🎧 Piste 80. Activité 1
1. Bonjour, moi c'est Jade. Je suis étudiante en master à l'université Paris-Sorbonne. J'étudie le management parce que je veux être responsable d'une équipe. J'ai travaillé comme stagiaire dans une entreprise d'informatique à côté de Paris.
2. Salut ! Moi, c'est Nour. Je veux être pharmacienne. Je viens de finir mon master dans le domaine de la santé à Bordeaux et je suis un doctorat depuis un an. J'ai fait deux stages dans un hôpital et j'ai travaillé dans une pharmacie à Bucarest en Roumanie.
3. Je m'appelle Chan. J'ai 20 ans. J'ai eu mon bac il y a deux ans. Je suis en licence à l'université. J'étudie les langues à la fac de Saint-Étienne : l'anglais et l'espagnol. Je veux être professeur dans une école. Je n'ai jamais travaillé.

Transcriptions

🎧 Piste 81. Activité 9. Dictée

a. Tu as fait quelles études à la fac ? b. Nous ne savons pas organiser cet événement. c. Mes amis viennent de finir leur master de gestion. d. Connaissez-vous cette entreprise informatique ? e. Quand est-ce qu'ils ont étudié le droit ?

🎧 Piste 82. Activité 12. Phonétique

merci – ça va – un stage – un zoo – une entreprise – une boisson – une casserole – ils étudient – les symptômes – une information – la parcelle – les voisins – la science – le cursus

Leçon 29

Décrire un travail

🎧 Piste 83. Activité 2

Martial : Allô ?
Olivier : Bonjour Martial, c'est Olivier.
Martial : Salut Olivier, tu vas bien ?
Olivier : Oui, ça va. Et toi ? Raconte ! Tu travailles chez Artinfo ?
Martial : Oui, depuis le 13 mars, il y a une semaine mais je n'aime pas. Mes tâches ne sont pas intéressantes.
Olivier : Pourquoi ? Tu aimes la communication ? Tu ne travailles pas au service marketing ?
Martial : Non, mes missions ont changé. Je travaille à l'accueil.
Olivier : À l'accueil ?! Tu ne vas pas analyser les actions de communication de l'entreprise ?
Martial : Non, je vais répondre au téléphone et prendre les rendez-vous de la directrice !
Olivier : Et tu ne vas pas faire de voyages professionnels ?
Martial : Non, je vais réserver des vols pour mes responsables...
Olivier : Tu as parlé au directeur ?
Martial : J'ai un rendez-vous dans trois jours. J'ai un CDD de six mois, jusqu'au 12 septembre mais je ne vais pas renouveler mon contrat.

🎧 Piste 84. Activité 9. Dictée

a. Les responsables ne vont pas s'occuper des contrats. b. Le directeur des ressources humaines ne répond pas. c. Son CDD va finir dans quinze jours. d. Quelles sont les missions de l'accueil ? e. On y va ou on n'y va pas ?

🎧 Piste 85. Activité 11

Bonjour Monsieur Platini.
Vous allez travailler au service informatique de notre entreprise et votre responsable s'appelle Monsieur Kumar. Pour ce travail, vous avez un CDD de deux mois. Vos heures de travail sont du lundi au vendredi de 8 heures à 17 h 30. Vous commencez demain mardi 1er août.
Il y a beaucoup de travail au service informatique. Vous avez quatre missions : vérifier l'état des ordinateurs le matin ; choisir et commander les ordinateurs pour le nouveau projet ; animer des ateliers et aussi aider les collègues à utiliser les services informatiques.
Vous pouvez écrire à Mme Baticle, la responsable RH, pour parler de votre contrat. Voici son e-mail : rh.baticle@decobois.com.
Monsieur Platini, bienvenu chez Décobois !

🎧 Piste 86. Activité 12

Ex. : Je vais parler avec lui. a. Je vais écrire à Léo. b. Je vais répondre au directeur. c. Je veux prendre rendez-vous. d. Je vais lire ce livre. e. Je veux vérifier le contrat. f. Je veux partager ce message.

Leçon 30

Se loger

🎧 Piste 87. Activité 1

L'employée de l'agence : Agence Immo, bonjour.
Benoît Mathieu : Allô ! Bonjour, je suis Benoît Mathieu. J'appelle pour la location de l'appartement, dans le quartier de la gare. Je voudrais visiter cet appartement.
L'employée de l'agence : Oui, bien sûr. Nous avons deux appartements à louer dans ce quartier. Vous voulez visiter quel logement ? Le T2 ou le T4 ?
Benoît Mathieu : Le T4 à 1 250 euros s'il vous plaît.
L'employée de l'agence : C'est bien le 2 rue Blanche ?
Benoît Mathieu : Oui, c'est ça.
L'employée de l'agence : C'est à 5 minutes à pied de la gare. Vous voulez visiter aujourd'hui ?
Benoît Mathieu : Non, ce matin, c'est nuageux et il va pleuvoir. Je préfère visiter quand il fait beau.
L'employée de l'agence : Ne quittez pas, je vais sur le site de Météo-France pour vérifier le temps, cette semaine. Mardi, il pleut, mercredi, il pleut toujours. Jeudi, il y a du soleil, un grand soleil. Vendredi : c'est nuageux. Jeudi à 15 heures ?
Benoît Mathieu : Oui, jeudi, c'est parfait !
L'employée de l'agence : Votre téléphone, c'est bien le...

🎧 Piste 88. Activité 5

Ex. : L'agence a été sérieuse. a. Le logement de Kamel est clair et moderne. b. La semaine dernière, nous avons été à Marseille. c. Cet été va être chaud. d. Je vais habiter dans un T3 dans un mois. e. La vente de l'appartement a été difficile. f. J'ai visité le logement à 14 heures.

🎧 Piste 89. Activité 8. Dictée

a. L'appartement au quatrième étage est très lumineux. b. La salle de bain est aussi grande que la chambre. c. Sur le balcon, il fait moins froid que dans la cuisine. d. Les deux pièces du logement ont des meubles exceptionnels. e. Dans cet immeuble, les loyers sont très chers.

Bilan

🎧 Piste 90. Activité 3

Sara Pilar : Allô ? Bonjour, vous êtes Frédéric Leblin ?
Frédéric Leblin : Bonjour. Oui, c'est moi.

inspire 1

Méthode de français · **A1**

Corrigés et lexique

UNITÉ 1 Découvrez !

Leçon 1

Saluer

1. c

2. a.

B	O	N	S	O	I	R	D
M	A	R	O	I	I	C	B
C	U	R	E	V	O	I	O
R	E	S	B	I	E	N	O
V	E	S	A	L	U	T	J
I	U	R	E	V	O	T	O
M	F	J	T	H	P	O	U
A	U	R	E	V	O	I	R

b. Ciao

3. a. – **Salut** Paul, **ça va** ?
– Salut Julie. Ça va !
b. – **Au revoir**, Patrick !
– Au revoir, Jacques !
c. – **Bonsoir**, monsieur Durand. Vous allez bien ?
– Oui, merci. Bonsoir, madame Ming.

4. Bonjour, **je m'appelle** (+ prénom).

5. a. un tableau – **b.** un livre – **c.** une table – **d.** un ordinateur – **e.** une tablette – **f.** un smartphone – **g.** un stylo – **h.** un crayon

Leçon 2

Épeler et compter

1. 1. b – 2. j – 3. e – 4. r – 5. u – 6. g – 7. i – 8. z

2. 1. Lyon 2. Nîmes 3. Nantes 4. <u>Genève</u>
5. Strasbourg 6. Bordeaux

3. Les garçons : 4. Léo 6. Jules 9. Hugo
Les filles : 1. Emma 3. Jade 6. Chloé 7. Inès

4.

12	89	33	68	56	21
79	22	53	5	38	19
51	36	11	23	75	95
3	15	99	3	27	31
37	50	5	97	25	18
28	83	70	8	54	36

5. a. Daniel : 03 28 38 83 62 **b.** Sylvie : 05 56 73 04 12
c. Laurent : 01 42 99 47 23 **d.** Anne : 04 93 16 77 22

6. *6 nombres parmi :* 18 : dix-huit – 21 : vingt et un –
23 : vingt-trois – 24 : vingt-quatre – 28 : vingt-huit –
61 : soixante et un – 63 : soixante-trois – 64 : soixante-
quatre – 68 : soixante-huit – 70 : soixante-dix –
71 : soixante et onze – 80 : quatre-vingts –
81 : quatre-vingt-un – 83 : quatre-vingt-trois –

88 : quatre-vingt-huit – 90 : quatre-vingt-dix –
91 : quatre-vingt-onze – 98 : quatre-vingt-dix-huit

7. mardi – mercredi – jeudi – vendredi – samedi –
dimanche

8. Le professeur : c, f, g, j – **L'élève :** b, d, i –
Les deux : a, e, h

Leçon 3

Parler de la France et de la francophonie

1. a, c, d, f, g, i, j

2.

E	Q	M	H	R	R	F	B
L	T	U	N	I	S	I	E
L	S	E	N	E	G	A	L
I	C	K	N	T	B	J	G
B	A	M	T	N	I	S	I
A	C	A	N	A	D	A	Q
N	G	L	O	M	U	D	U
S	U	I	S	S	E	P	E

3. **a.** 6 A ; 7 H **b.** 1 D ; 4 C **c.** 3 F ; 8 E **d.** 5 B
b. a. le Canada – **b.** la Belgique – **c.** la Suisse –
d. le Vietnam – **e.** le Sénégal – **f.** le Liban – **g.** le Mali

UNITÉ 2 Entrez en contact !

Leçon 4

Se présenter

1. **a.** polonaise – la Pologne **b.** nigérian – le Nigeria
c. chinoise – la Chine **d.** italien – l'Italie **e.** suisse –
la Suisse **f.** mexicain – le Mexique

2. **a.** Thomas : la Suisse **b.** Abiona : le Nigeria
c. Aldo : l'Italie **d.** Esperanza : l'Espagne **e.** Aniela :
la Pologne **f.** Nora : la France

3. **a.** Rossy de Palma est **espagnole**. **b.** Yao Ming est
chinois. **c.** Marion Cotillard est **française**. **d.** Andrea
Bocelli est **italien**. **e.** Alejandro Iñárritu est **mexicain**.

4. **Le :** Canada – Mexique – Vietnam – Nigeria – Mali
– Liban
La : Chine – Pologne – Tunisie – Belgique – France –
Suisse
L' : Allemagne – Italie – Espagne
Les : États-Unis – Philippines

5. **a. la** Belgique **b. l'**Allemagne **c. la** Suisse
d. l'Espagne **e. l'**Italie

6. **a.** Je m'appelle Julie. **b.** Tu es brésilien ? –
Tu t'appelles Frédéric ? **c.** Il est mexicain.

d. Elle s'appelle Anna. **e.** Vous vous appelez Karl ? –
Vous êtes chinoise.

7. **a.** – Tu **t'appelles** Laure ?
– Non, je **m'appelle** Flore.
b. – Paulo **est** espagnol ?
– Non, il **est** brésilien.
c. – Vous **vous appelez** Pia ?
– Oui, je **suis** italienne.
d. – Bonjour, je **m'appelle** Adrian.
– Tu **es** suisse ?
– Non, je **suis** polonais.

8. **a.** ≠ **b.** = **c.** ≠ **d.** =

9. Demander / Dire le prénom : c, f, g
Demander / Dire la nationalité : a, d, e
Demander / Dire le pays : b, h

10. Bonjour, je m'appelle Carmen Henriquez. Je suis
espagnole. L'Espagne !

11. **a.** Le / Sé / né / gal **b.** Chypre (1 syllabe)
c. La / Bel / gique **d.** La / Suisse **e.** L'Ar / gen / tine
f. L'Es / pagne **g.** Cu / ba **h.** La / Co / rée / du / Sud

Leçon 5

Échanger des informations personnelles

1. **a.** Le document est **une carte de visite**. **b.** Le nom
de l'école – le nom de la personne – le prénom de
la personne – la ville – l'e-mail – la profession –
la langue

2. NOM : MULLER
Prénom : Wilfried
Langue parlée : allemand
E-mail : w.muller@gmail.com

3. Dire bonjour : a, d (b. est possible aussi.)
Dire au revoir : b, f, g (a. est possible aussi.)
Demander des nouvelles : c, e

4. **a.** Jane habite à Londres, elle parle **anglais**.
b. Li Xin habite à Shanghai, il parle **chinois**.
c. Yasmina habite à Tunis, elle parle **arabe**. **d.** Pablo
habite à Madrid, il parle **espagnol**. **e.** Maria habite
à Lisbonne, elle parle **portugais**. **f.** Lise habite à
Paris, elle parle **français**.

5. **a. Tu** parles anglais ? **b.** Tu habit**es** à Mexico ?
c. Vous parlez français. **d.** J'habit**e** à Paris.
e. Elle parl**e** arabe. **f.** **J' / Il / Elle** habite à Stockholm.
g. Tu parl**es** quelle langue ? **h.** Vous habit**ez** à Nice.

6. **a.** – Moi je m'appelle John. J'**habite** à Boston.
Je **parle** anglais.
b. – Vous êtes marocain ? Vous **habitez** à Rabat ?
– Non, j'**habite** à Casablanca.
c. – Il **parle** trois langues !
– Non, il **parle** deux langues.

d. – Oui, j'**habite** à Milan.

e. – Elle **parle** chinois ?

– Non, elle **parle** arabe. Elle **habite** à Tunis.

7. a. – **Quel** est votre prénom ? b. – **Quel** est le nom de votre pays ? c. – Vous habitez **quelle** ville ? d. – **Quelle** est votre nationalité ? e. – Vous parlez **quelle** langue ? f. – Et **quel** est votre e-mail ?

8. C'est ma ville.
C'est ton prénom.
C'est ta nationalité.
C'est son nom. – C'est son e-mail.
C'est sa profession.
C'est votre pays. – C'est votre langue.

9. a. demander sa nationalité b. demander sa ville c. demander son prénom d. demander sa langue e. demander sa ville f. demander sa profession g. demander son e-mail

10. *Bonjour, je m'appelle* Pablo RAMIREZ. Je suis mexicain. Mon pays est le Mexique. J'habite à Tuxpan. Je suis étudiant. Je parle espagnol, anglais et français.

11. a. pierre.mousseau@gmail.fr
b. laure-brille@hotmail.com
c. daniel.dorbien@gmail.fr
d. therese-garcia@orange.fr
e. john.ferguson@orange.fr
f. gonzague-villagrande@yahoo.fr

Leçon 6

Préciser des informations

1. a. C'est une réservation pour **un bus**. b. La date du voyage est le **mardi 11 août**. c. C'est une réservation pour **2 personnes**. d. Le tarif est **30 euros**.

2. Nom : LEDOUX
Prénom : Ludovic
Numéro de téléphone : 06 82 63 04 18
E-mail : l-ledoux@gmail.com
Date d'arrivée : 16 mars 2020
Date de départ : 17 mars 2020
Nombre de nuits : 1
Nombre de personnes : 2 adultes

3. a. Marseille : 862 211 habitants. b. Lyon : 515 695 habitants. c. Toulouse : 475 438 habitants. d. Nice : 342 637 habitants. e. Nantes : 306 694 habitants. f. Bordeaux : 254 436 habitants.

4. b. 3 c. 2 d. 1 e. 6 f. 5 g. 10 h. 8 i. 11 j. 12 k. 9 l. 7

5. a. Le printemps – b. L'hiver – c. L'automne – d. L'hiver – e. L'été

6. a. Tu as **un** numéro de téléphone ? b. Le Havre est **une** ville française. c. Je réserve **des** chambres pour Patrick et Karine. d. La Pologne est **un** pays. e. Vous réservez **des** petits déjeuners ? f. Vous avez **une** adresse à Paris ?

7. a. – Vous **avez** des enfants ?
– Oui, nous **avons** deux enfants.
b. – Ils **ont** une réservation d'hôtel ?
– Oui, ils **ont** une réservation à Bordeaux.
c. – Tu **as** quel âge ?
– J'**ai** 53 ans.
d. – Il **a** un numéro de téléphone français ?
– Non, il **a** un numéro brésilien.
e. – Elles **ont** quel âge ?
– Sophie **a** 42 ans et Julie **a** 44 ans.
f. – Tu **as** une chambre d'hôtel ?
– Oui, j'**ai** une chambre à Paris.

8. a. Les enfants **sont** à l'école. b. Mélissa **est** étudiante. c. Vous **êtes** professeur. d. Tu **as** une adresse e-mail ? e. Nous **avons** trois enfants. f. Bernard **a** 40 ans. g. Vous **avez** quel âge ? h. Carla et Gianna **sont** italiennes.

9. a. Bonjour, Nicole et moi, nous **sommes** français et nous habitons au Canada. Je **suis** professeur de français et elle **est** professeure d'anglais. Et vous ? Vous **êtes** français ?
b. – Salut ! Tu **es** étudiant ?
– Salut. Oui, je **suis** étudiant de chinois. Et toi ?
c. – Ils **sont** espagnols ?
– Non, Michael **est** italien et Michelle **est** brésilienne.
d. – Vous **êtes** française ou ghanéenne ?
– Je **suis** ghanéenne.

10. a. Quel est votre prénom ? b. Quelle est votre nationalité ? c. Vous avez quel âge ? d. Quelle est votre adresse ? e. Quel est votre numéro de téléphone ? f. Vous parlez quelle langue ?

11. a. 1 – b. 6 – c. 4 – d. 3 – e. 5

Bilan

1. NOM : ROVIER
Prénom : Louise
Date de naissance : 15 août 1964
Rue : 10 rue d'Italie
Ville : Paris
Pays : France
Numéro de téléphone : 06 68 41 20 77
E-mail : louise.rovier@gmail.com

2. Prénom : Rodrigo
Nationalité : mexicain
Âge : 25 ans
Ville : Mexico
Langues parlées : espagnol et français

Prénom : Ivana
Nationalité : polonaise
Âge : 28 ans
Ville : Varsovie
Langue parlée : anglais

3. Bonjour,
Je m'appelle Jarod Haralson. Je suis professeur.
Je parle français. J'habite à Paris, France. J'ai 45 ans.
Mon e-mail est j.haralson@gmail.fr.

Barème :
1 point par phrase correcte.

4. Elle s'appelle Salma HAYEK.
Elle est mexicaine et américaine.
Elle a 53 ans.
Elle habite à Londres.
Elle parle espagnol et anglais.

Il s'appelle Roger FEDERER.
Il est suisse.
Il a 38 ans.
Il habite à Zurich.
Il parle français et anglais.

Barème :
1 point par phrase correcte.

Faites connaissance !

Leçon 8

Parler de la famille

1. a. Faux **b.** Faux **c.** Faux **d.** Vrai **e.** Vrai **f.** Faux

2. a. Irina **présente sa famille**.
b. 1. Irina a deux noms : le nom de sa mère et le nom de son père. **2.** Sa mère habite à Fougères.
3. Ses parents ont trois enfants. **4.** Ses sœurs sont médecins. **5.** Son fils Thomas a six ans. **6.** Thomas parle deux langues : le français et l'espagnol.

3. a. Jules est le **frère** de Léa. **b.** Daniel est le **grand-père** de Léa. **c.** Renée est la **grand-mère** de Léa.
d. Paul et Françoise sont les **parents** de Léa.

4. a. la fille – les filles **b.** l'oncle – les oncles
c. la sœur – les sœurs **d.** le fils – les fils **e.** le cousin – les cousins **f.** la tante – les tantes

5. Un homme : a, d, g – **Une femme :** c, f – **Un homme ou une femme :** b, e, h

6. a. la nationalité (S) **b.** les parents (P) **c.** le / les fils (D) ; **d.** l'oncle (S) **e.** l'Italie (S) **f.** les numéros (P)
g. l'enfant (S) **h.** les langues (P) **i.** le / les pays (D)
j. les adresses (P)

7. a. Votre grand-mère s'appelle Nathalie.
b. Ta cousine parle anglais ? **c.** Il habite chez ses oncles. **d.** Sa tante s'appelle Hélène Pila.
e. Notre petit-fils habite à Paris. **f.** Lucien, c'est ton grand-père.

8. a. Son père parle anglais. **Sa** mère et **ses** grands-parents parlent japonais. **b.** Écrivez votre nom,

votre prénom et l'âge de **vos** enfants. **c.** Nos trois enfants sont artistes : **notre** fille est réalisatrice et **nos** fils sont chanteurs. **d.** Vous avez mon e-mail, **mon** adresse et **mes** numéros de téléphone ? **e.** Ma sœur, **mon** frère et **mes** parents sont dans **ma** ville.
f. Louise et Luc Pierret sont avec leur fils Carl et **leurs** filles Clara et Léa.

9. a. C'est : un artiste / Ernest / son frère / Monsieur André. **b.** Ce sont : des écrivains français / ses parents.
c. Il est : professeur. **d.** Elle est : chanteuse.
e. Ils sont : poètes. **f.** Elles sont : françaises.

10. a. Sa femme est musicienne. **b.** Leur tante a trois enfants. **c.** Votre oncle est professeur ?
d. Nos parents ont cinquante ans.

11. b. Carla – ma grand-mère – 91 ans – écrivaine
c. Clotilde – ma sœur – 48 ans – réalisatrice
d. Magdalena – ma cousine – 44 ans – professeure
e. Fatima – ma fille – 22 ans – artiste **f.** Pia – ma mère – 69 ans – musicienne

12. – *C'est qui sur la photo ?*
a. – C'est mon oncle et mes cousins.
b. – Ton oncle s'appelle comment ?
c. – Benoît. Il est médecin.
d. – Et ses deux enfants ?
e. – Sa fille s'appelle Valentina et son fils s'appelle Rafa.
f. – Ils sont français ?
g. – Non, ils sont brésiliens.

13. Ugo Dupont-Sarabia – Ugo Sarabia – Ugo Sarabia-Dupont – Ugo Dupont

Leçon 9

Décrire une personne

1. a. Dorothée parle d'**une chanteuse**. **b.** Roxanne décrit **ses cheveux**.

2. a. 4 – **b.** 3 – **d.** 1 – **e.** 2

3. 1. une fête **2.** un karaoké **3.** un garçon
4. une chanson **5.** une copine **6.** une invitation

4. Le corps : f, g, h – **Les cheveux :** a, e – **L'apparence :** d – **Le caractère :** b, c

5. a. 1. chemise **2.** pantalon **3.** sac **4.** veste
5. tee-shirt **6.** chapeau **7.** robe **8.** lunettes
b. chaussures

6. a. des lunettes **b.** des sacs **c.** une veste
d. des tee-shirts **e.** une amie **f.** un chapeau
g. une chanson **h.** des invités **i.** un copain
j. une chemise

7. a. Je parle **des** langues étrangères : **le** français, l'espagnol et l'**italien**. **b. Les** livres *Inspire 1* et *Inspire 2* sont **des** livres de français. **c.** Elle crée **un** groupe WhatsApp, c'est **le** groupe « Mes amis à Paris ».
d. Il habite **une** grande ville, c'est **la** ville de Marseille.

e. **La** chanson « Les mots d'amour » est **une** chanson d'Édith Piaf. **f.** Elle habite chez un ami, c'est **l'**ami de ma sœur.

8. – Ce soir, c'est *la* fête de Manu. C'est **un** collègue italien.

– **La** fête, c'est dans **un** restaurant ?

– Non, **les** parents d'Erika ont une grande maison.

– C'est qui Erika ?

– Erika ? C'est **la** copine de Manu, c'est **une** fille sympa.

– Et **la** maison de ses parents, c'est à Paris ?

– Je ne sais pas. **L'**adresse et **le** numéro de téléphone de Manu sont dans **l'**e-mail.

9. a. Ton fils est très **beau**. **b.** Elle a les cheveux **courts**. **c.** André Hossein porte une chemise **élégante**. **d.** Mes filles sont **sportives**. **e.** Kenza est une femme **sérieuse**. **f.** Vos lunettes sont **jolies**.

10. a. Ma collègue, c'est la fille avec les cheveux courts. Elle est jolie et adorable. **b.** Mon collègue, c'est le garçon avec les cheveux longs. Il est sérieux et élégant. **c.** Ma copine, c'est la femme avec le chapeau. Elle est belle et sportive. **d.** Mon ami, c'est l'homme avec les lunettes. Il est sympa et chic.

11. a.

b. Simon est grand. Il est blond. Il a les cheveux courts. Il porte un pantalon et une chemise.

12. *Exemple de production :*

– J'ai une nouvelle copine.

– Elle s'appelle comment ?

– **Soraya.**

– Elle a quel âge ?

– **25 ans.**

– Décris ta copine. Elle est comment ?

– **Elle est grande et jolie. Elle a les cheveux longs et bruns. Elle est sympa et adorable. Elle est sportive.**

– Tu as une photo ?

– Ma copine.

– Elle est beeeeeeeeelle !!!!!

13. a. Salu~~t~~, tu e~~s~~ français~~s~~ ? **b.** Ton pantalon es~~t~~ élégan~~t~~. **c.** Elle a de~~s~~ cheveu~~x~~ brun~~s~~. **d.** Votre documen~~t~~ est long. **e.** Elle porte un gran~~d~~ chapeau. **f.** Son vêtemen~~t~~ est cour~~t~~.

Leçon **10**
Échanger sur ses goûts

1. Moi : 👎 l'opéra – 👍 le théâtre – 👍👍👍 le cinéma, les films français, les films américains
Mes amis : 👎 courir – 👍 regarder des films – 👍👍👍 la fête, danser, les karaokés

Mon frère : 👎 lire – 👍 le foot, aller au restaurant – 👍👍👍 le tennis

2. a. 1. Un père et sa fille. **2.** Ils parlent **des goûts de Marta**.

b. Photos à entourer : 2, 3, 5 – Photos à barrer : 1, 4

3. a. 3 – **b.** 1 – **c.** 4 – **d.** 6 – **e.** 5 – **f.** 7

4. a. Les enfants regardent la **télé**. **b.** Ses loisirs préférés sont le **cinéma** et le foot. **c.** Elle aime aller à l'**opéra**. **d.** Vous allez au **théâtre** vendredi soir ? **e.** Nous aimons lire des **magazines**. **f.** Elles aiment les beaux **musées**.

5. a. – Nous habit**ons** à Paris. Et toi ? Tu habit**es** où ?
– J'habit**e** à Madrid.
b. – Quel sport aiment-elles ?
– Elles ador**ent** le tennis.
c. – Ton père aim**e** le rock des années 1980 ?
– Oui, il ador**e** le groupe Téléphone.
d. – Vous habit**ez** en France ?
– Non, j'habit**e** à Bruxelles.
e. – Vous aim**ez** bien le karaoké ?
– Oui, ma femme et moi, nous ador**ons** !

6. Négation : c, e, f, h

7. a. Non, il n'aime pas l'opéra. **b.** Non, elle ne parle pas français. **c.** Non, ils ne sont pas professeurs. **d.** Non, je n'habite pas à Paris. **e.** Non, ils n'ont pas les cheveux longs. **f.** Non, nous ne regardons pas la télé.

8. – *Qui est-ce* sur la photo ?
– C'est mon ami Reza. Il est iranien.
– **Est-ce qu'**il parle français ?
– Oui, il parle français.
– Et lui, **c'est qui** ?
– C'est son frère Darius.
– **Qu'est-ce qu'**il aime faire ?
– Il adore le football.
– **Est-ce qu'**ils habitent à Téhéran ?
– Non, ils habitent à Ispahan.

9. a. *Est-ce que* : Est-ce que tu as la nationalité française ?
b. Intonation : Vous regardez la Formule 1 à la télé ? – *Est-ce que* : Est-ce que vous regardez la Formule 1 à la télé ?
c. Intonation : Tu habites à New York ? – Inversion : Habites-tu à New York ?
d. Intonation : Ils aiment le sport ? – Inversion : Aiment-ils le sport ?
e. *Est-ce que* : Est-ce que vous êtes médecin ? – Inversion : Êtes-vous médecin ?
f. *Est-ce que* : Est-ce qu'elles préfèrent courir ? – Inversion : Préfèrent-elles courir ?
g. Intonation : Tu parles russe ? – *Est-ce que* : Est-ce que tu parles russe ?

10. a. Je n'aime pas le sport. **b.** Nous préférons lire des magazines. **c.** Est-ce qu'ils aiment le foot ?

Corrigés

d. Qu'est-ce que tu aimes ? e. Préfères-tu regarder la télé ?

11. l. – Est-ce que tu aimes le sport ?
2. – Oui, j'adore le sport.
3. – Moi aussi j'adore. Qu'est-ce que tu aimes ?
4. – Mon sport préféré, c'est le basket.
5. – Moi aussi j'aime le basket. Je n'aime pas le foot et toi ?
6. – Moi non plus. Je préfère regarder à la télé !

12. Le théâtre : ♥ – Le cinéma : 💔 – Regarder la télé : ♥ – Lire des magazines : ♥♥♥

13. a. Le poète a des ch**au**ssures chics et un b**eau** chap**eau**. b. N**ou**s avons le numér**o** du n**ou**veau rest**au**rant. c. Leur collè**gue** japon**ais** a**i**me la fê**te** et les karaok**és**. d. J**e** préfère le profess**eu**r de ma s**œu**r.

Bilan

1. a. Le nouveau copain de Kamala s'appelle **Valentin**. b. Il a **40 ans**. c. Il est **timide**. d. Il est **écrivain**. e. 2

2. a. Vrai b. Faux c. Vrai d. Vrai e. Faux f. Vrai g. Faux h. Vrai i. Faux j. Faux

3. (19 h 44) Invité75015 : Bonjour, tu t'appelles Maria ?
(19 h 45) Marika : **Non, je ne m'appelle pas Maria, je m'appelle Marika.**
(19 h 56) Serge : Tu es française ?
(19 h 57) Marika : **Non, je ne suis pas française. Je suis espagnole.**
(20 h 13) Amy11 : Est-ce que tu parles anglais ?
(20 h 24) Marika : **Oui, je parle anglais.**
(20 h 26) Invité 75015 : Quelle est ta profession ?
(20 h 27) Marika : **Je suis professeure.**
(20 h 32) Amy11 : Est-ce que tu aimes le sport ?
(20 h 33) Marika : **Oui, j'adore le sport / j'adore le basket et le tennis / j'aime le sport / j'aime le basket et le tennis.**

4. *Exemple de production :*
Rémi est petit. Il a 3 ans. Il a les cheveux courts. Il est blond. Sur la photo, il a un tee-shirt bleu, un short blanc et bleu et des chaussures bleues. Il adore le foot.

Barème :
J'indique l'âge : Il a 3 / 4 / 5 ans. *1 point*
Je décris le physique : Il est petit. Il a les cheveux courts. Il est blond. *3 points*
Je décris les vêtements : Il porte un short blanc et bleu, un tee-shirt bleu et des chaussures bleues. *3 points*
Je parle de ses goûts : Il aime / adore le foot. *1 point*

Organisez une sortie !

Leçon 12

S'informer sur un lieu

1. a. Photo n° 4 b. Photo n° 5 c. Photo n° 1 d. Photo n° 3

2. a. 1. Pauline **présente son quartier**. 2. Elle habite **en France**.
b. Photo n° 3
c. un cinéma – un marché – un café – un jardin – un restaurant

3. a. 1. le con**sul**at 2. la mai**rie** 3. le rest**au**rant 4. l'hô**tel** 5. le su**permar**ché 6. la ca**thé**drale
b. Les achats : le supermarché
L'administration : le consulat – la mairie
Les monuments : la cathédrale
Les loisirs : l'hôtel – le restaurant

4. a. le train b. le bus c. le tramway d. le bateau e. la voiture f. la voiture

5. a. Le supermarché, c'est à dix minutes **à** pied.
b. La gare, c'est à vingt minutes **en** tramway.
c. Le Havre, c'est à deux heures **en** bateau.
d. L'école, c'est à quinze minutes **en** bus.
e. L'Espagne, c'est à trois heures **en** voiture.
f. Le stade, c'est à une heure **à** vélo.

6. Ma famille habite à Clermont-Ferrand. Dans la ville, **il y a** 150 000 habitants. À Clermont, **il y a** des monuments historiques, une grande cathédrale et un beau musée : **c'est** le musée Henri-Lecoq. **Il y a** un jardin agréable à côté du musée, **c'est** à deux minutes à pied. **Il y a** un stade de rugby : **c'est** le stade de l'ASM Clermont-Auvergne. **C'est** loin du centre mais **il y a** le tramway.

7. a. Je suis **à côté de la** cathédrale. b. Je suis **à côté du** supermarché. c. Je suis **loin de** l'hôtel de ville. d. Je suis **loin de la** gare. e. Je suis **à côté de** l'arrêt de bus.

8. a. au – b. à – c. au – d. en – e. aux – f. en

9. a. Éliane habite **à Bordeaux en France**. b. Vicente habite **à Florianopolis au Brésil**. c. Fatima habite **à Séville en Espagne**. d. Na habite **à Pékin en Chine**. e. Eduardo habite **à Guadalajara au Mexique**. f. Priscilla habite **à San Francisco aux États-Unis**. g. Numa habite **à Nairobi au Kenya**.

10. a. Ici, il y a un grand parking. b. Le marché est à côté de la mairie. c. Là, au nord, c'est le quartier de la gare. d. L'hôtel est loin de la station de métro.

11. b. 3 – c. 1 – d. 6 – e. 5 – f. 4

12. Voici le *plan* du quartier de la gare à Nantes. Au **nord** de la gare, il y a un grand jardin : c'est le jardin des Plantes. Il y a des **parkings** pour les voitures et pour les vélos à **côté** de la gare. Il y a un **monument**, c'est l'église du Christ-Roi. Il y a trois **hôtels** : Ibis et Astoria sont à côté de la gare et Sozo est à côté de l'église. L'hôtel de ville est à l'ouest, à 15 minutes à **pied**.

13. a. Elle habite en France | et sa famille | habite aux États-Unis. **b.** Dans mon quartier, | il y a une cathédrale | et un beau musée. **c.** À Lyon, | en France, | il y a le tramway | et le métro. **d.** Là, | au sud, | il y a la gare. **e.** Il y a un parking | et à côté, | un petit jardin | et un grand stade. **f.** J'habite au sud de Toulouse, | à côté d'un grand parc.

Leçon 13

Indiquer un chemin

1. a. 1. L'homme **demande une direction. 2.** Il va **à la poste. 3.** Il va **à pied. 4.** La poste est à **10 minutes**.
b. a. 1 – **b.** 4 – **c.** 3 – **d.** 2

2. Monsieur Colin,
La crèche est à trois minutes à pied. *Allez* tout **droit** dans la rue Boulon. À deux cents mètres, **tournez** dans la rue Ionesco. La rue Ionesco, c'est la **deuxième** rue, à droite. **Continuez / Allez** tout droit. Après la banque, tournez à **gauche**, dans l'allée des Poires. La crèche est là !
Léa Rival

3. a. Dialogue n° 1 **b.** Dialogue n° 4 **c.** Dialogue n° 3

4. a. La rue de Lyon ? C'est la première ou la **deuxième** rue ? **b.** La banque, c'est loin ou c'est **à côté** ? **c.** La gare routière, c'est à droite ou c'est **à gauche** ? **d.** La mairie, c'est par ici ou c'est par **là** ? **e.** Je tourne à droite ou je vais tout **droit** ? **f.** Le collège, c'est **au bout** de l'allée ?

5. a. Où est la pharmacie ? **b.** Où est le cinéma ? **c.** Où sont les jeux pour enfants ? **d.** Où est l'office de tourisme ? **e.** Où est la banque ? **f.** Où est la station-service ?

6. – Salut Carmen, tu vas où ce soir ?
– Ce soir ? Patrick et moi **allons** au cinéma. Il y a un festival de films mexicains.
– Vous **allez** au ciné avec vos amies Béa et Lou ?
– Non, Béa **va** au théâtre et Lou et son copain **vont** au restaurant. Et toi ?
– Moi, je **vais** au stade. Il y a un match de Paris-Saint-Germain. J'adore le football !

7. a. Nous allons **à la** gare routière. **b.** Ils vont **aux** toilettes. **c.** Tu vas **à la** banque ? **d.** Elles vont **à l'**école. **e.** Je vais **à l'**office de tourisme. **f.** Elle va **à l'**hôpital. **g.** Vous allez **au** cinéma ? **h.** Elles vont **aux** jeux pour enfants.

8. Présent : a, c, f. – Impératif : b, d, e

9. a. Continue cent mètres ! – Continuons cent mètres ! – Continuez cent mètres !

b. Cherche l'office de tourisme ! – Cherchons l'office de tourisme ! – Cherchez l'office de tourisme !
c. Regarde la direction ! – Regardons la direction ! – Regardez la direction !
d. Va à la banque ! – Allons à la banque ! – Allez à la banque !
e. Situe l'hôtel ! – Situons l'hôtel ! – Situez l'hôtel !
f. Observe le plan ! – Observons le plan ! – Observez le plan !

10. – Excusez-moi, madame, je cherche l'*office* de tourisme.
– C'est à cinq minutes à pied, dans le centre historique. Ce n'est pas **loin**. Vous allez tout **droit**. Au bout de la rue du Stade, il y a la poste.
– D'accord ! À la poste, je vais **où** ?
– **Tournez** à droite, dans la **rue** Pompidou. C'est à cinquante mètres, à côté du **cinéma**.
– Merci madame. Bonne journée.

11. *À la poste, allez* à gauche, dans l'avenue de l'Université. Tournez à droite, dans la rue Haussmann. Allez tout droit et tournez à gauche, rue Dauphine. C'est la troisième rue à gauche après le café. Continuez deux cents mètres. La banque est au bout de la rue, à côté de la crèche.

12. Mots identiques : a, d, f – Mots différents : b, c, e

Leçon 14

Proposer une sortie

1. a. Sortie culturelle : exposition de sculpture
Lieu : Centre Pompidou de Metz
Date et heure : samedi 21 décembre à 10 heures
Tarif : 12 euros
b. 2
c. Message 2 : Colin – Activité avec la famille
Message 3 : Inna – Tarif
Message 4 : Madeleine – Sport

2. 2. a – **3.** f – **4.** e

3. a. 08:15 **b.** 20:00 **c.** 12:00 **d.** 00:00 **e.** 10:00 **f.** 19:30 **g.** 16:00 **h.** 18:45

4. Le matin : b, d, f – L'après-midi : c – Le soir : a, e

5. – Qu'est-ce que tu aimes faire le week-end ?
– *Moi*, j'aime sortir et boire un verre avec des amis. Et **toi**, Hugo, **tu** aimes faire la fête ?
– Non, je n'aime pas. Le dimanche, **je** fais du sport. Dans ma famille, **nous** sommes sportifs ! **Moi**, j'aime faire mon jogging. Mon frère, **lui**, il préfère le tennis. Ma petite sœur Chloé, **elle**, elle adore la danse.
– Et tes grands-parents, **ils** sont sportifs aussi ?
– **Eux**, ils ont 80 ans ! **Ils** font des promenades entre dix heures et midi le dimanche.

6. a. Moi, je suis professeur de français. Eux, ils sont professeurs d'anglais. **b.** Lui, il adore le foot. Elle, elle adore le tennis. c. Vous, vous allez à la gare à pied. Lui, il va à la gare en bus. d. Toi, tu tournes à droite. Moi, je tourne à gauche. e. Nous, nous habitons à Lyon. Elles, elles habitent à Nantes. f. Elles, elles viennent à 20 heures. Nous, nous venons à 21 heures.

7. a. 4, 7 – b. 1, 9 – c. 2, 10 – d. 3, 8 – e. 5, 6

8. a. Tes parents viennent avec toi ? b. Elle ne vient pas à l'exposition. c. Elles font un brunch entre dix heures et midi ? d. Qu'est-ce que vous faites demain matin ?

9. a. a. Tu veux aller au cinéma demain soir ? b. Vous êtes libres dimanche matin ? c. On fait une promenade à onze heures ? d. L'atelier de sculpture est gratuit ? e. Le brunch est à quelle heure ? b. a. Question n° 4 b. Question n° 1 c. Question n° 3 d. Question n° 2 e. Question n° 5

10. 1. **Daria**
Activité : *Cours de danse*
Lieu : **place de la République**
Jour : **mardi 15**
Heure de début : 14 heures
Heure de fin : **16 heures**

2. **Marco**
Activité : **Voir un film italien**
Lieu : **cinéma Pathé**
Jour : **mardi 15**
Heure de début : 15 heures
Heure de fin : 16 h 30

3. **Daria**
Activité : **Boire un verre**
Lieu : Bar « Le Moderne »
Jour : **mardi 22**
Heure de début : **17 heures**
Heure de fin : 20 heures

Bilan

1. a. 1. Éric **propose une sortie à Chloé**. 2. Il veut **faire une promenade**. 3. Chloé **accepte la proposition**. 4. Le rendez-vous est **samedi matin**.
b.

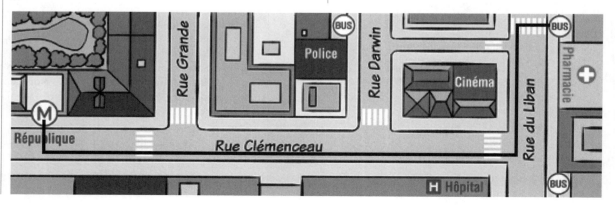

2. a. ville-preferee.fr est un site pour décrire une ville. b. Non, l'école est à deux minutes à pied. c. Jules fait du sport dans un jardin, au bout de sa rue. d. 55 euros. e. Pour l'école, Jules donne la note de 9/10.

3. 1. Tu viens au restaurant samedi soir ?
d. Non, je ne **peux** pas. Je dîne avec mes parents.
2. Ok… Nous pouvons aller au cinéma dimanche à quinze heures ?
a. Pourquoi **pas** ? Le cinéma, c'est **loin** d'ici ?
3. Non, c'est à côté. C'est à cinq minutes à pied ! Tu viens avec Gaëlle ?
b. Non, elle n'est pas **libre**. Elle **fait** son jogging.
4. Elle est sportive ! Rendez-vous au cinéma à 14 h 45 ?
c. D'accord. À **dimanche** !

Barème :
0,5 point si le SMS de réponse est bien placé et 1 point par mot manquant.

4. *Exemple de production :*
Salut Rahul. C'est moi Julia. Samedi, je vais au cinéma Le Grand Rex. Il y a le film *De Gaulle* à 18 heures. Tu es libre ? Tu viens avec moi ? Le cinéma Le Grand Rex est 1 boulevard Poissonnière à 50 mètres de la station de métro Bonne Nouvelle. Bises.

Barème :
Je salue et je dis mon prénom. *2 points*
Je propose une sortie. *2 points*
J'indique le nom du film, le jour, l'heure. *6 points*
Je situe le lieu de la sortie. *1 point*

Parlez de votre quotidien

Leçon 16

Décrire son quotidien

1. a. Faux. Elle travaille jusqu'à 19 heures. b. Vrai c. Faux. Elle fait du tennis le samedi soir. d. Vrai e. Vrai
2. a. Gaby va parfois au travail **en bus**. b. Le soir,

Gaby **mange toujours à la maison avec sa famille**. c. Gaby se couche **à 11 heures**. d. Gaby travaille à la maison **le mercredi**. e. Gaby fait du sport **le mardi et le vendredi**. f. Le samedi, Gaby se lève toujours à **9 heures**.

3. a. Photo n° 6 c. Photo n° 3 e. Photo n° 1 f. Photo n° 5 g. Photo n° 2

4. – Bonjour Madame Sarri. Vous êtes médecin. Quel est votre quotidien ?
– La *semaine*, du lundi au vendredi, je travaille à l'hôpital de Brest. Le **matin**, je commence à neuf heures.
– Vous travaillez aussi la **nuit** ?
– Oui. Je travaille de 22 heures à 6 heures le mardi et parfois le vendredi.
– Samedi et **dimanche**, vous travaillez ?
– Non, je suis à la maison le **week-end**.
– Qu'est-ce que vous faites ?
– La **journée**, je fais souvent du sport avec mes enfants et je fais le ménage. Le **soir**, je dîne au restaurant ou je vois un film.

5. a. Le déjeuner : 2 b. Le dîner : 3 c. Le petit déjeuner : 1

6. a. Mes parents **se repos**ent dans le parc. b. Vera **se lav**e après le petit déjeuner. c. Tu **te** douch**es** à quelle heure le soir ? d. Clara et moi, nous **nous** lev**ons** à sept heures. e. Je **me** couch**e** à minuit le week-end.

7. a. Non, je préfère faire les courses au marché. b. Non, elle ne peut pas. Elle travaille l'après-midi. c. Oui, le lundi, le jeudi et le samedi matin.

8. a. Renate et moi **dormons** à l'hôtel. b. La semaine, je **dors** de minuit à sept heures. c. Vous **dormez** à la maison ce soir ? d. Camille et Éléonore **dorment** jusqu'à dix heures. e. Tu **dors** dans ta chambre ce soir ?

9. a. Nous **finissons** les courses et nous rentrons à la maison. b. Je **finis** le travail à dix-sept heures. c. Et tes enfants ? Ils **finissent** l'école à seize heures ? d. Tatiana **finit** son jogging à dix-huit heures. e. Les enfants, vous **finissez** la vaisselle !

10. a. Elle fait de la danse de midi à treize heures. b. D'abord, je m'habille et après, je déjeune. c. Ils vont parfois chez leurs amis français. d. Qu'est-ce que tu fais après la sieste ? e. Nous ne faisons jamais les courses le week-end.

11. D'abord, Anouche fait les courses et elle rentre chez elle. Après, elle déjeune.

12. *Exemple de production :*
1. Le lundi matin, je déjeune à 7 heures. 2. Le jeudi soir, je me couche à minuit. 3. Le vendredi soir, je dîne de 19 heures à 20 heures. 4. Le samedi après-midi, je fais la sieste à 14 heures. 5. Le dimanche matin, je fais le ménage de 10 heures à 11 heures. 6. Le mardi après-midi, je me repose jusqu'à 15 heures.

Leçon 17

Faire les courses

1. a. 1. Boubacar est **à la maison**. 2. Boubacar **fait ses courses en ligne**.
b. Pommes de terre : Espagne 1 kg – **2**
Ail : France 200 g – **1**
Fraises : Italie **barquette** 500 g – **4**
Thon : Portugal **500 g** – 1
Crème : France **pot** – **3**
Œufs : France boîte × 6 – **2**

2. b. 1 – c. 6 – d. 4 – e. 5 – f. 3

3. a. le sel – la fraise – le poivre – la moutarde
→ **les condiments**
b. le beurre – la crème – la confiture – le lait
→ **les produits laitiers**
c. le melon – la poire – la pomme de terre – la cerise
→ **les fruits**
d. l'œuf – la courgette – l'oignon – l'ail
→ **les légumes**

4. – *œufs : 2 boîtes*
– crème : 3 pots
– tomates : 500 g
– fraises : 1 barquette
– bananes : 3
– eau : une bouteille
– sucre : 2 paquets

5. a. Nous allons prendre du saumon, **350** grammes s'il vous plaît. b. Tu vas acheter **sept** melons. c. Je vais commander du lait, **douze** bouteilles. d. Des carottes s'il vous plaît, **500** grammes. e. Je prends 6 œufs et des pâtes, **trois** paquets. f. Vous prenez **800** grammes ou **un** kilo de tomates ?

6. a. J'achète *du beurre*, **des œufs**, de la crème, **du lait et du fromage**. b. J'achète **du thon et du saumon**.

7. a. Je travaille. Je **vais rentrer** chez moi après vingt heures. b. Nous avons des invités pour dîner. Nous **allons faire** les courses au supermarché. c. Ce sont les vacances. Demain matin, Dorothée **va prendre** le train à six heures. d. Vos enfants sont chez leurs amis ce week-end. Vous **allez boire** un verre avec nous. e. Zora et Omar font les courses. Ils **vont aller** à la poissonnerie. f. Tu ne travailles pas le week-end. Samedi, tu **vas dormir** jusqu'à midi !

8. a. Vous n'allez pas prendre ma liste de courses. b. Nous n'allons pas préparer votre petit déjeuner. c. Je ne vais pas acheter les aliments pour le repas. d. Elle ne va pas faire les courses en ligne.

9. a. je / tu / il / elle b. je / tu / il / elle c. vous d. ils / elles e. je / tu / il / elle

10. a. J'achète 500 grammes de poisson. b. Qu'est-ce que nous allons manger ? c. Vous prenez du melon ou des fraises ? d. Ils font les courses à la fromagerie. e. Tu n'aimes pas les produits laitiers ? f. Combien coûte le saumon ?

11. a. Elle prend **du lait, six bouteilles**. b. Elle prend **de la crème, deux pots**. c. Elle prend **des fraises, une barquette**. d. Elle prend **des œufs, une boîte**. e. Elle prend **des pâtes, un paquet**. f. Elle prend **de l'ail, 300 grammes**.

12. a. Oui, nous **allons faire les courses**. b. Oui, elle **va commander du lait**. c. Oui, elles **vont pique-niquer**. d. Oui, il **va acheter du saumon**. e. Oui, je **vais prendre des fraises**.

13. a. c**on**diment b. mel**on** c. c**om**bien d. oign**on**, poiss**on**

Leçon 18

Acheter des vêtements

1. a. Devant un ordinateur. b. Ils regardent des vêtements. c. 1 d. 0 euro. e. Au centre commercial.

2. a. Une robe. b. Noir et blanc. c. 36. d. 69 euros. e. 0 euro. f. Mardi, mercredi, jeudi, vendredi, samedi, dimanche.

3. a. des sandales → chaussures b. une ceinture → accessoire c. un manteau → vêtement d. un jean → vêtement e. un foulard → accessoire f. des baskets → chaussures

4. a. 3 – b. 1 – c. 1 – d. 3 – e. 2

5. a. cliente b. imperméables c. mode d. accessoire e. magasin f. vêtements g. jean

6. a. La ceinture est **devant** le pantalon. b. Les livres sont **sur** l'ordinateur. c. Les chaussettes sont **sous** le top rose. d. La chemise jaune est **derrière** les chaussures. e. Le foulard est **entre** le stylo et la ceinture. f. Les sandales sont **sous** la chaise.

7. a. C'est une **grande boutique**. b. Ce sont des **photos parfaites**. c. C'est une **petite robe**. d. Ce sont des **sandales élégantes**. e. C'est un **beau défilé de mode**. f. C'est un **blouson confortable**.

8. a. **Vous** essayez ce top ? b. **J'**essaie un jean. c. **Ils** essaient des baskets. d. **Elle** essaye une robe. e. **Tu** essayes cette ceinture ? f. **Nous** essayons des blousons.

9. a. Tu essaies ces sandales grises ? b. La cliente est dans le grand magasin. c. Je vais acheter un manteau décontracté. d. Notre boutique est dans le centre commercial. e. Cet accessoire est parfait.

10. 1 – Bonjour, je peux vous renseigner ?
2 – Oui, s'il vous plaît. Où sont vos manteaux pour l'hiver ?
3 – Ils sont avec les blousons, à côté des chemises. Suivez-moi !
4 – Merci. Est-ce que vous avez un manteau gris et décontracté ?
5 – Un manteau gris ?... Oui. Regardez ce modèle ! Quelle est votre taille ?
6 – Taille 40. Je peux essayer ?
7 – Oui, c'est à droite des caisses, derrière les chaussures.

11. a. Elles sont devant la porte. b. Elle est entre la table et la chaise. c. Il est derrière son ordinateur. d. Il est sur la table. e. Elles sont derrière la fenêtre. f. Il est sous son manteau.

12. a. Mot 3 b. Mot 2 c. Mot 3 d. Mot 3 e. Mot 1 f. Mot 2 g. Mot 3 h. Mot 1

Bilan

1. a. Dans une boutique. b. Elle essaie un vêtement pour l'été. c. blanc – bleu – vert d. 59 euros.

2. a. a. Sarah et Élie organisent **une fête avec des amis**. b. La soirée commence à **19 heures**. c. Élie ne va pas faire des courses avec Sarah **parce qu'il prépare le dîner**. d. Sarah va acheter **un chapeau**. b. 2

3. *Exemple de production :*
Bonjour !
Voilà ma semaine...
Le matin, je dors jusqu'à sept heures. Du lundi au vendredi, je fais du sport. J'adore aller à la salle de gym avec mes amies.
À onze heures, je prépare le déjeuner avec mon mari et nous déjeunons à midi.
L'après-midi, je fais le ménage, je lis des magazines et je regarde la télé.
Le week-end, à neuf heures, je fais un jogging dans le parc. Le dimanche après-midi, je vais au cinéma avec une copine.
C'est ma vie !

Barème :
Je parle des activités : faire du sport, faire un jogging, se reposer, dormir, aller au cinéma, voir un film, déjeuner, dîner... *7 points*
Je situe dans le temps les activités : avec le jour, le moment de la journée et l'heure. *3 points*

4. *Exemple de production :*
Le samedi matin, d'abord, je fais mon jogging de 8 heures à 9 heures, je rentre chez moi et je prends le petit déjeuner. Après, je fais les courses au marché et je fais le ménage dans la maison. À midi, je me douche. L'après-midi, je fais la sieste et je me repose jusqu'à 16 heures : je regarde des séries à la télé. À 17 heures, je vais à mon cours d'espagnol. Le soir, quand mes parents ou mes amis sont libres, je dîne au restaurant avec eux. Je me couche à minuit.

Barème :
Je parle de mes activités : faire un jogging, prendre le petit déjeuner, se doucher, faire la sieste, regarder des séries, aller à un cours d'espagnol, dîner au restaurant, se coucher… *4 points*

Je parle des tâches ménagères : faire les courses, faire le ménage… *2 points*
Je situe dans le temps les activités : avec des indicateurs *jusqu'à, à, de… à… 3 points*
J'indique la chronologie des activités : avec *d'abord, et, après. 1 point*

Partagez vos expériences !

Leçon 20

Faire une recette

1. b, d, e, g, h, j, l

2. Personnes : 4 – **Niveau :** facile – **Coût :** 10 €
Ingrédients : 400 g d'aubergines, 500 g de tomates, 300 g de courgettes, 3 cuillères à soupe d'huile d'olive, herbes, sel, poivre
Ustensiles : 1 couteau, 1 plat
Préparation : Étape 1, Étape 2, Étape 3, Étape 4
Idée du chef : Vous pouvez ajouter des oignons sous les légumes.

3.

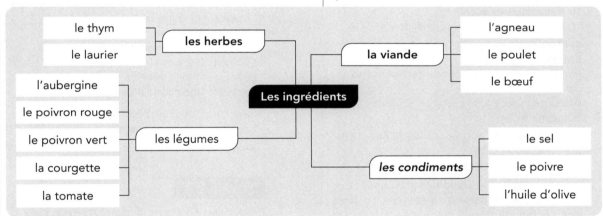

4. a. une fourchette – un couteau – ~~une poêle~~ **b.** ~~une cuillère~~ – une casserole – une cocotte **c.** un saladier – une passoire – ~~une aubergine~~ **d.** ~~un moule~~ – une cuisinière – un four **e.** une cuillère – ~~une cocotte~~ – une fourchette **f.** un couteau – une cuillère – ~~un saladier~~

5. 1. *Éplucher* les pommes de terre.
2. **Couper** les pommes de terre.
3. **Faire cuire** les pommes dans une casserole avec de l'eau et du sel.
4. **Ajouter** le lait et le beurre.
5. **Mélanger**.
6. **Faire chauffer** doucement 10 minutes.

6. a. deux gousses d'ail **b. une cuillère** de sucre
c. une feuille de laurier **d. 1 kilo** de pommes
e. un brin de thym

7. a. Il coupe **beaucoup de** viande. **b.** Sur la pizza, il y a **peu d'**herbes. **c.** Dans les spaghettis, il n'y a **pas de** tomate. **d.** Sur le gâteau, il y a **peu de** fruits. **e.** Dans le tian, il n'y a **pas de** poulet.

8. a. Faire chauffer de l'huile. **b.** Couper les courgettes. **c.** Ne pas faire cuire les tomates. **d.** Mélanger les légumes et la viande. **e.** Ne pas ajouter de sel. **f.** Faire cuire au four.

9. a. – Tu **manges** à quelle heure aujourd'hui ?
– Je **mange** à 13 heures.
b. – Vous ne **mangez** pas de poulet ?
– Non, nous ne **mangeons** pas de viande, nous préférons les légumes.
c. – Les Français **mangent** beaucoup de pain. Et dans ton pays ?
– En Italie, nous **mangeons** beaucoup de pâtes.
d. – Le soir, je **mange** un peu de viande et beaucoup de légumes. Et toi, qu'est-ce que tu **manges** ?
– Moi je **mange** un peu de légumes ou de la salade. Mon mari, lui, **mange** du poisson.

Corrigés

10. = : b, c, d ≠ : a, e, f

11. 300 grammes de *pâtes*
4 **tomates**
1 **oignon rouge**
200 grammes de **fromage italien**
4 cuillères à soupe d'**huile d'olive**
Un peu de **sel**

12. J'entends [j] : b, c, e, g, h

Leçon 21

Commander au restaurant

1. Plats : 1 salade chinoise
1 bœuf sauté aux légumes de saison
Dessert : 1 poire au chocolat
Boissons : 1 carafe d'eau
1 pichet de vin

2. 1 – Bonjour, vous avez réservé ?
2 – Non, nous n'avons pas réservé.
3 – J'ai une table pour deux personnes.
4 – D'accord, merci.
5 – Vous désirez un apéritif ?
6 – Non merci. On peut voir la carte s'il vous plaît ?
7 – Bien sûr. Voilà la carte.
8 – Vous avez choisi ?
9 – Oui, deux formules midi s'il vous plaît.
10 – Et comme boisson ?
11 – Une carafe d'eau et un pichet de vin.

3. **Formule** du jour
Entrée : Guacamole
Plats : Filet de poisson et **courgettes** ou Salade italienne
Desserts : Glace au chocolat ou *Salade de fruits*
Boisson : Pichet de vin

4. a. a. *CARAFE* b. TABLE c. CARTE d. ADDITION
e. PICHET f. ARDOISE
b. Mot mystère : APÉRITIF

5. a. Nous avons fini. **L'addition** s'il vous plaît !
b. Vous prenez un **dessert** après le plat ? c. Nous avons **la formule** du jour avec entrée, plat et dessert.
d. Comme **boissons**, nous avons du vin ou de l'eau.
e. Nous avons réservé **une table** pour six personnes.
f. C'est **la carte** des desserts.

6. a. Tu **as** choisi la formule midi ? b. Ils **ont** demandé l'addition après le repas. c. Nous **avons** dîné dans un restaurant italien. d. J'**ai** commandé un dessert.
e. Vous **avez** fini votre plat ? f. Elle **a** mangé un délicieux poulet Palava.

7. Participes passés en *-é* : *mangé* – déjeuné – commandé – réservé – dîné – payé – parlé – demandé
Participes passés en *-i* : fini – choisi – dormi – saisi

8. a. – Vous **avez choisi** ?
– Oui, nous **avons choisi** la formule déjeuner.

b. – Tu **as réservé** une table ?
– Oui, j'**ai téléphoné** pour réserver.
c. – Il **a commandé** une salade du chef ?
– Non, il **a choisi** un filet de poisson.
d. – Elles **ont dîné** dans un restaurant chinois ?
– Non, elles **ont mangé** à la maison.
e. – Vous **avez payé** l'addition ?
– Oui, nous **avons payé** le repas.

9. a. On mang**e** une délicieuse ratatouille.
b. Nous réserv**ons** une table au restaurant coréen.
c. Nous pren**ons** une carafe d'eau. d. On déjeun**e** au restaurant ce midi ? e. Nous pay**ons** l'addition des quatre formules. f. On chois**it** le menu Express.

10. a. J'ai réservé une table pour six personnes.
b. Nous avons choisi les desserts. c. On a payé l'addition. d. Vous avez fini l'entrée ?

11. a. le client b. le serveur c. le serveur d. le client
e. le serveur f. le client

12. *Exemple de production :*
Le serveur : Bonjour monsieur ! Vous désirez *un apéritif* ?
Le client : Non merci. Je peux **avoir la carte**, s'il vous plaît ?
Le serveur : **Oui, voici la carte.**
Le client : Merci.

Le serveur : Vous avez choisi ?
Le client : Oui, en entrée, **une salade de tomates**.
Le serveur : Et comme plat ?
Le client : **Un saumon aux poivrons**.
Le serveur : **Vous prenez un dessert ?**
Le client : Oui, une glace vanille.
Le serveur : Vous prenez une boisson ?
Le client : **Une carafe d'eau**, s'il vous plaît.

Le serveur : Vous avez fini ?
Le client : **Oui, l'addition**, s'il vous plaît.

13. [E] : a, d, f, g – [ɛ̃] : b, c, e, h

Leçon 22

Raconter un événement

1. 2. d – 3. b – 4. c – 5. e – 6. a

2. a. Chan raconte **la demande en mariage de son ami**. b. Chan et son ami sont allés **d'abord au cinéma, puis au restaurant**. c. Dans le film, un homme **retrouve une amie et ils se marient**.
d. L'ami de Chan a fait sa demande en mariage **au restaurant**. e. Les clients dans le restaurant **ont applaudi**. f. Dans le restaurant, Chan **a pleuré**.

3. a. **Demain**, mardi 11 février, je vais partir en voyage.
b. J'ai acheté mes billets de train **hier**. c. J'ai téléphoné à Amine **hier**. d. Lundi 10 février, **aujourd'hui**, je déjeune avec mes collègues. e. Mardi 11 février, **demain**, je vais téléphoner à mes parents.

f. Je suis allé au cinéma voir un film, **hier**, dimanche.

4. Aujourd'hui je suis allé au *cinéma* pour voir *Parasite*. **Ce film** coréen a remporté la Palme d'or au Festival de Cannes.
Hier j'ai regardé **la bande-annonce** sur Internet.
J'ai beaucoup aimé **le scénario** et aussi les acteurs.
C'est **un film** fantastique ! À la fin du film, **les spectateurs** dans **la salle de cinéma** ont applaudi !

5. a. – Hier soir Luc et moi, nous **sommes** allés au cinéma.
– Vous **avez** regardé quel film ?
– Luc **a** choisi : *Le Grand Bain*.
b. – Tu **as** fait bon voyage ?
– Oui, j'**ai** visité Lyon.
– Tu **es** partie à quelle heure ?
– À 8 heures, j'**ai** déjeuné à Lyon et je **suis** arrivée à Paris à 20 heures.
c. – Hier j'**ai** dîné chez mes amis espagnols.
– Tu **as** mangé un plat espagnol ?
– Oui, ils **ont** préparé des empanadas. Délicieux !
d. – Ali **a** fait sa demande en mariage à Nora !
– Nora **a** aimé la bague ?
– Oui, elle **a** pleuré.

6. Ce week-end j'*ai vu* Emma.
Il y a six mois, elle **a fait** un voyage aux Philippines en groupe. Dans le groupe, elle **est devenue** amie avec Daniel. Ils **ont visité** les Philippines, puis ils **sont retournés** en France mais ils **ne sont pas restés** amis… Ils sont aujourd'hui en couple ! Ils vont se pacser en juillet. Sympa, non ?

7. a. 2. Puis, ils ont regardé un film. – **1. D'abord**, ils sont entrés dans la salle. – **3. Ensuite**, ils sont sortis du cinéma.
b. 3. Ensuite, elle a payé l'addition. – **1. D'abord**, elle a regardé la carte. – **2. Puis**, elle a commandé une salade.
c. 1. D'abord, il a épluché les oignons. – **3. Ensuite**, il a fait cuire les oignons. – **2. Puis**, il a coupé les oignons.
d. 1. D'abord, il a rencontré Mona. – **2. Puis**, il a fait sa demande en mariage. – **3. Ensuite**, ils se sont mariés.

8. a. Je suis arrivée au cinéma il y a deux heures.
b. Tu as demandé Kerstin en mariage il y a quatre mois. **c.** J'ai vu cette photo il y a cinq ans. **d.** Maria a vu un film il y a trois jours.

9. *Exemple de production :*
2. Puis, Oumar a vu Fatou dans un restaurant. –
3. Ensuite, Oumar a demandé Fatou en mariage.

13. *Exemple de production :*
Il y a deux ans, Feng a commencé un cours de portugais. Hua est entrée dans la classe de portugais il y a un an, en septembre 2019. En janvier 2020, Feng a invité Hua au restaurant. Il y a cinq mois, ils sont allés au Portugal. Feng a demandé Hua en mariage. Ils vont se marier !

14. a. À la mairie. **b.** Le PACS (pacte civil de solidarité).

Bilan

1. b. 1 – c. 2 – e. 4 – f. 3

2. a. Le restaurant « Chez Marcel » est à Strasbourg. **b.** Oui, le client a adoré le restaurant. **c.** Le client est allé dans ce restaurant le soir. **d.** Le client a mangé une salade. **e.** Ils ont choisi du vin blanc. **f.** Oui, ils ont mangé un dessert. **g.** Non, ils n'ont pas payé les desserts. **h.** Oui, ils vont retourner dans ce restaurant en mars pour leur mariage.

3. *Exemple de production :*
D'abord, j'ai déjeuné avec Yasmina.
L'après-midi, j'ai regardé des bandes-annonces sur Internet. J'ai choisi un film.
Je suis allée boire un verre avec Patrick à 20 heures.
Puis, le soir, j'ai téléphoné à Gonzalo.

4. *Exemple de production :*
Dimanche matin, à 9 heures, Wilfried a fait les courses au marché. *2 points*
Puis, à 13 heures, il a préparé le déjeuner à la maison. *4 points*
L'après-midi, il est allé voir une exposition avec des amis. *2 points*
Ensuite, ils ont dîné au restaurant. *2 points*

 UNITÉ 7 Donnez votre avis !

Leçon 24

Conseiller

1. a. Problème n° 2 **b.** Problème n° 3 **c.** Problème n° 6 **d.** Problème n° 4 **e.** Problème n° 1 **f.** Problème n° 5

2. a. Claudio Vicente a écrit à son médecin pour **demander des conseils**. **b.** 2 **c.** Claudio Vicente peut **manger un petit steak**. **d.** Claudio Vicente a mal au dos la nuit, il doit **prendre un médicament**.

3. a. la tête **b.** les yeux **c.** la bouche **d.** le bras **e.** le pied **f.** le cou **g.** la main **h.** le dos **i.** la jambe

4. a. un **t**abacologue / une **t**abacologue **b.** un **i**nfirmier / une **i**nfirmière **c.** un **p**neumologue / une **p**neumologue **d.** un **d**entiste / une **d**entiste **e.** un **p**harmacien / une **p**harmacienne

5. a. Donnez cette **ordonnance** à votre pharmacien. **b.** Ma fille a un peu de **fièvre** : 38 °C ce matin. **c.** Tu as mal à la gorge : prends ce **sirop** ! **d.** On a souvent des **maladies** en hiver, par exemple la laryngite. **e.** Docteur, quels sont les **symptômes** de la rhinite ? **f.** Tu as des **douleurs** aux dents : il faut prendre un paracétamol. g. Il fait froid : habille-toi ou tu vas avoir un **rhume** !

6. a. Oui, asseyez-vous. **b.** Non, ne vous levez pas. **c.** Non, ne t'accroupis pas. **d.** Oui, lave-toi. **e.** Oui, reposez-vous. **f.** Non, ne te penche pas.

7. a. Ne fermez pas la bouche. **b.** Ne fume pas dans la voiture. **c.** Ne vous levez pas aujourd'hui. **d.** Ne bois pas ce vin. **e.** N'utilisez pas ces antibiotiques.

8. a. Il faut aller chez le dentiste. Il ne faut pas manger de sucre. **b.** Il ne faut pas prendre d'antibiotiques. Il faut boire beaucoup d'eau. **c.** Il faut s'accroupir le dos droit. Il ne faut pas se pencher pour mettre ses chaussures.

9. a. Tu veux un traitement pour soigner la rhinite ? Est-ce que tu **connais** ce médicament ? **b.** Ils ont mal aux dents ? Est-ce qu'ils **connaissent** un bon dentiste ? **c.** Je **connais** cette infirmière. Elle travaille à l'hôpital. **d.** On ne **connaît** pas ce médecin. Est-ce qu'il est sérieux ? **e.** Vous avez les symptômes de la grippe. Est-ce que vous **connaissez** un bon médecin ? **f.** Nous ne **connaissons** pas ce sirop. Est-ce qu'il faut une ordonnance ?

10. a. Mon fils a mal aux pieds et au dos. **b.** J'ai des douleurs au ventre depuis deux semaines. **c.** Vous prenez ce traitement depuis combien de temps ? **d.** Sa fille a mal à l'oreille depuis trois jours. **e.** Il ne faut pas continuer votre traitement.

11. 1 J'ai mal à la gorge et j'ai de la fièvre.
2 Je vais chez le médecin.
3 Le médecin observe ma gorge.
4 Le médecin conseille un sirop et des médicaments.
5 Le médecin fait une ordonnance.
6 Je vais à la pharmacie.
7 Je donne mon ordonnance au pharmacien.
8 Je prends du sirop et des médicaments.

Leçon 25

Proposer un projet

1. a. Rencontrer des voisins. **b.** 45 personnes. **c.** 1 **d.** Ils mangent les légumes. **e.** Des conseils et une parcelle de jardin.

2. L'atelier « Les petits sculpteurs » : jeudi 13 février – L'atelier « Plantation de tomates » : jeudi 20 février – La présentation de l'association à la mairie : lundi 10 février

3. c, g

4. a. On ajoute un **engrais** naturel pour faire pousser les légumes bio. **b.** On fait des plantations sur les toits pour **végétaliser** la ville. **c.** Dans un jardin collectif, il y a des **parcelles** pour les personnes de l'association. **d.** Manger bio, c'est **respecter** l'environnement. **e.** Dans deux semaines, je vais

planter des courgettes. **f.** J'habite à Paris depuis vingt ans, je ne connais rien au **jardinage**.

5. a. Réponse n° 6 **b.** Réponse n° 2 **c.** Réponse n° 1 **d.** Réponse n° 4 **e.** Réponse n° 3

6. a. Les enfants ont jardiné de huit heures à midi et cet après-midi, ils **vont se reposer**. **b.** Je **vais m'inscrire** à cette association parce que j'adore partager du temps avec mes voisins. **c.** Nous **allons nous présenter** et après, la réunion va commencer. **d.** On **va se coucher** avant dix heures ce soir parce qu'il faut planter les tomates demain matin à 6 heures. **e.** Tu **vas t'habiller** pour mélanger le compost au jardin ? **f.** Vous **allez vous lever** dans quinze minutes pour jardiner !

7. a. Non, elle va ouvrir ce jardin collectif dans un mois. **b.** Non, ils vont partir dans deux semaines. **c.** Non, elle va aller à l'association dans trois jours. **d.** Non, ils vont arriver dans deux heures dans le jardin collectif. **e.** Non, il va planter les tomates dans deux jours. **f.** Non, il va expliquer le projet dans dix minutes.

8. a. On va partager un jardin pour respecter l'environnement. **b.** Elles vont s'inscrire parce qu'elles ne connaissent rien au jardinage. **c.** Dimanche prochain, les jardiniers vont embellir les parcs du quartier. **d.** L'objectif de l'association est la végétalisation des villes. **e.** Pour planter les tomates, il faut venir dans une semaine.

9. a. Question n° 1 **b.** Question n° 5 **c.** Question n° 6 **d.** Question n° 2 **e.** Question n° 3 **f.** Question n° 4

10. a. a. 2 – **b.** 1 – **c.** 3
b. *Exemple de production :*
a. Nous allons organiser des ateliers avec les personnes âgées et les enfants. **b.** Nous allons végétaliser les immeubles et nous allons faire des plantations sur les toits. **c.** Nous allons planter des légumes bio et nous allons donner notre production aux parents.

11. a. ma **b.** la **c.** sent **d.** chant **e.** passe **f.** pente

Leçon 26

Raconter un voyage

1. 1. a – 2. d – 3. e – 4. b – 5. f – 6. c

2. a. Romain : 2 **b.** Greg : 1 **c.** Léa : 3

3. a. a. le trek – la randonnée – la marche – ~~le vélo~~
b. le vol – ~~le concours~~ – l'aéroport – la valise
c. magique – ~~triste~~ – animé – moderne
b. J'ai gagné le *prix* d'un concours de photos : un **trek** dans l'Himalaya en Inde. J'ai pris un **vol** Paris-Delhi, après j'ai marché seul. Le voyage a duré douze jours. C'était **magique** !

4. Ma femme et moi, nous adorons la cuisine

chinoise. Samedi soir, nous avons dîné chez Panda. C'est un restaurant **traditionnel**, à cinq minutes à pied de la rue Oberkampf, une rue **animée** de Paris. J'ai choisi de la viande et des légumes, ma femme a pris du poisson. C'était **délicieux** ! Après, nous sommes allés voir « Casse-noisettes » à l'Opéra. Le spectacle a duré deux heures et nous avons adoré. C'était **magique** !

5. a. Il est arrivé en France en 2012. Il est arrivé en France en novembre 2012. Il est arrivé en France le 6 novembre 2012. **b.** Ils ont quitté la Tanzanie en 2019. Ils ont quitté la Tanzanie en décembre 2019. Ils ont quitté la Tanzanie le 29 décembre 2019. **c.** J'ai arrêté mon travail en 1999. J'ai arrêté mon travail en mai 1999. J'ai arrêté mon travail le 13 mai 1999. **d.** Ils se sont mariés en 1976. Ils se sont mariés en juillet 1976. Ils se sont mariés le 26 juillet 1976.

6. b. 4 – **c.** 1 – **d.** 2 – **e.** 3

7. a. Ils ne se sont pas inscrits en 2019. **b.** Je ne me suis pas réveillé à huit heures. **c.** Tu ne t'es pas lavée ce matin. **d.** Vous ne vous êtes pas présentés hier. **e.** Elle ne s'est pas reposée après le trek. **f.** Nous nous sommes mariés le 7 janvier 2012.

8. a. Nous **avons préparé** nos valises puis nous **avons pris** l'avion. **b.** Nous **sommes arrivés** à Montréal puis nous **avons découvert** la ville. **c.** Nous **avons réservé** une table au restaurant puis nous **avons dîné**. **d.** Nous **avons bu** un café puis nous **avons payé** l'addition. **e.** Nous **avons vu** un spectacle et nous **avons adoré**. **f.** Nous **nous sommes levés** puis nous **avons applaudi** les artistes. **g.** Nous **sommes rentrés** à l'hôtel puis nous **avons dormi** dix heures !

9. a. Le prix du concours est un dîner dans un restaurant traditionnel. **b.** Ils sont arrivés dans un aéroport moderne. **c.** Ma mère ne s'est pas reposée après le voyage. **d.** Nous avons pris beaucoup de photos.

10. *Exemple de production :*
a. J'ai pris un vol. Il a duré trois heures ! C'était long. **b.** J'ai dormi trois nuits à l'hôtel Kariyé. C'était agréable ! **c.** J'ai pris un bateau pour aller sur le Bosphore. C'était sympa ! **d.** Dimanche, je suis allé au grand bazar. C'était immense ! **e.** J'ai goûté des spécialités culinaires au restaurant Sarnic. C'était délicieux !

11. a. Personne n° 1 **b.** Personne n° 3 **c.** Personne n° 5 **d.** Personne n° 4

12. a. C'est une infirmière américaine.
b. Il est arrivé aux États-Unis.
c. Nous avons dormi deux heures.
d. Elle adore aller au bar avec ses amis.
e. Ils sont allés à l'aéroport.

Bilan

1. a. Livia téléphone à **son père**. **b.** Livia téléphone pour **parler de sa santé**. **c.** 3 **d.** Livia n'est pas contente parce que **la visite a duré peu de temps**. **e.** Livia parle de la médecine chinoise, son père dit : **« Je ne connais pas. »**

2. E*xemple de production :*
Bonjour Docteur,
j'ai pris rendez-vous parce que j'ai des douleurs aux dents. J'ai pris un vol Istanbul-Paris ce matin. La douleur a commencé pendant le vol. J'ai mal et j'ai aussi de la fièvre. J'ai pris deux paracétamols mais la douleur est toujours là. J'ai une réunion dans deux jours et je dois être là.

Barème :
Je salue : *Bonjour Docteur. 1 point*
Je dis pourquoi je consulte un *médecin : J'ai pris rendez-vous parce que j'ai des douleurs aux dents. 2 points*
Je raconte le voyage : *J'ai pris un vol Istanbul-Paris ce matin. 2 points*
Je décris mon état et mes douleurs : *J'ai mal et j'ai aussi de la fièvre. J'ai pris deux paracétamols mais la douleur est toujours là. 3 points*
Je parle de mes projets de la semaine : *J'ai une réunion dans deux jours. 2 points*

3. a. Des personnes du quartier ont écrit ces messages. **b.** Les personnes veulent dire merci aux personnes de l'association. **c.** Vico, Béné, Thimothé, Lison et Madame Doucet vont s'inscrire à l'association « Boutique et jardins ». **d.** Yvette a conseillé une crème à Madame Doucet parce qu'elle a mal au dos. **e.** Vladimir G. n'a pas aimé la durée de la visite. **f.** Vladimir G. va aller sur le site de l'association pour connaître les projets.

4. *Exemple de production :*
Bonjour Gaspard,
Merci pour ton message. Je m'appelle Kim et je suis coréenne. J'habite à Ulsan. Tu veux visiter la Corée ? C'est une bonne idée : c'est un pays magnifique. Les Coréens adorent la nature et font souvent des randonnées le week-end. Tu peux aller au parc Bukhansan, à côté de Séoul. C'est à 20 kilomètres de la ville. C'est superbe. En 2019, j'ai fait une randonnée de deux jours dans ce parc avec mes amis. C'était agréable. Va aussi à la mer à Busan et goûte les spécialités culinaires de mon pays : le bibimbap et le kimbap. C'est délicieux. Tu vas aimer !
Bon voyage, Kim

Barème :
Je me présente. *1 point*
Je parle de mon pays. *2 points*
Je conseille des lieux pour faire une promenade ou une randonnée dans la nature. *3 points*
Je conseille des spécialités culinaires de mon pays. *2 points*

Informez-vous !

Leçon 28

Expliquer son cursus

1. a. Jade : le management – Nour : la santé – Chan : les langues
b. Jade : master – Nour : doctorat – Chan : licence
c. Jade : oui – Nour : oui – Chan : non
d. Jade : être responsable d'une équipe – Nour : être pharmacienne – Chan : être professeur

2. Personne choisie : Jean Blanc. **Pourquoi ?**
Parce qu'il a un master en gestion des associations environnementales. Il a une licence d'anglais et il a une expérience d'animateur.

3. – Qu'est-ce que tu fais ? Tu travailles ?
– Non, je suis *étudiante*. Je suis inscrite en master à la **fac** de langues de Limoges.
– Après ton **cursus**, qu'est-ce que tu vas faire ?
Tu vas faire une autre **formation** ou tu vas chercher un travail ?
– Je ne sais pas. Je veux être professeur.
– Tu veux un conseil ? Cherche un **stage** dans un lycée ou un travail en **alternance** : un mois dans une entreprise, un mois dans une école.
– Il y a une réunion d'information à l'**université** la semaine prochaine. Des **stagiaires** vont venir.
Je vais échanger avec eux !

4. b. 6 – c. 3 – d. 2 – e. 7 – f. 1 – g. 4

5. a. Je viens de finir mes études et je vais chercher un travail. **b.** Tu viens d'avoir une licence et tu vas étudier en master. **c.** Ils viennent de finir leur CV et ils vont écrire à des entreprises. **d.** Nous venons d'arriver à l'université et nous allons suivre un cours de chimie. **e.** Vous venez de faire un stage et vous allez obtenir votre diplôme. **f.** On vient d'assister à une réunion et on va organiser des événements de communication.

6. a. Ils **étudient** les langues mais ils ne **savent** pas parler anglais ! **b.** Je **sais** choisir les bons engrais parce que j'**étudie** la chimie depuis deux ans.

c. Vous **étudiez** l'économie mais vous ne **connaissez** pas ce grand professeur ? **d.** Nous **savons** décrire les symptômes de la laryngite parce que nous **étudions** la médecine. **e.** Elle **étudie** en France et elle ne **connaît** pas les diplômes universitaires ! **f.** Tu **étudies** l'art et tu ne **connais** pas le sculpteur Giacometti ?

7. b. 1 – c. 2 – d. 6 – e. 7 – f. 3 – g. 4

8. a. Qu'est-ce que vous avez étudié à l'université ?
b. Qui est votre responsable de stage ? **c. Qu'**est-ce que vous préférez ? Le management ou le droit ?
d. Vous savez **quoi** sur notre entreprise ? **e.** Chez ProTopia, vous avez travaillé avec **qui** ? **f.** Cette année, vous avez choisi **quoi** comme domaine d'études ? **g. Qu'**est-ce que tu vas faire cette année ?

9. a. Tu as fait quelles études à la fac ?
b. Nous ne savons pas organiser cet événement.
c. Mes amis viennent de finir leur master de gestion.
d. Connaissez-vous cette entreprise informatique ?
e. Quand est-ce qu'ils ont étudié le droit ?

10. Voici mon *cursus* universitaire. Je suis inscrit à la **faculté** d'économie. Je viens de finir un **stage** de trois mois pour mon M1. J'ai travaillé chez Mercier, une entreprise de marketing. C'était très intéressant. Avec mes collègues, j'ai appris à organiser des actions de communication. L'année **prochaine**, je vais travailler en **alternance** : un mois dans une **entreprise** et un mois à l'université pour finir mon **master**. Après, je vais chercher un emploi dans le **domaine** de la communication.

11. *Proposition de production :*
– Bienvenue à La Piscine, asseyez-vous ! Présentez-vous s'il vous plaît.
– Merci, je m'appelle Rachel Fitoussi. J'ai 26 ans et je veux devenir conservatrice.
– *Qu'est-ce que vous avez étudié ?*
– J'ai étudié l'histoire de l'art et la gestion.
– **Quel diplôme avez-vous ?**
– Je viens de finir mon master.
– **Est-ce que vous avez travaillé ?**
– Non mais je suis en stage dans un musée d'architecture depuis avril. C'est très intéressant.
– **Où faites-vous ce stage ?**
– À Bruxelles, au CIVA.
– **Qui est votre responsable de stage ?**
– C'est Josie Vandenbosche.
– Nous travaillons souvent avec ce musée. **Pourquoi voulez-vous travailler chez nous ?**
– Parce que vous organisez des ateliers avec les écoles. J'aime travailler avec les enfants.

12. ça va – un s̲tage – un z̲oo – une entrepri̲s̲e – une boi̲s̲son – une ca̲s̲serole – il̲s̲ étudient – les symp̲tômes – une informa̲tion – la par̲celle – les voi̲s̲ins – la s̲cience – le cur̲s̲us

Leçon 29

Décrire un travail

1. a. Vrai **b.** Faux. L'entreprise Natureo a trois bureaux en France. **c.** Faux. Le contrat de travail est renouvelable. **d.** Vrai **e.** Faux. Le responsable va commencer à travailler au printemps. **f.** Vrai **g.** Faux. Le responsable a des déplacements en Belgique.

2. a. Martial travaille chez Artinfo depuis **sept jours**. **b.** Martial n'aime pas son travail parce que **sa mission a changé**. **c.** Martial travaille **à l'accueil**. **d.** Les tâches de Martial sont **la prise de rendez-vous et l'achat des billets d'avion**. **e.** Martial a rendez-vous avec **le directeur**. **f.** Le contrat de Martial finit **le 12 septembre**.

3. 2. DIRECTEURS **3.** ACCUEIL **4.** INFORMATIQUE **5.** CONTRAT **6.** MARKETING **7.** BUREAU **8.** ASSISTANT

4. a. Le chargé de partenariat **fait la liste** des clients. **b.** La directrice des ressources humaines **écrit** les contrats de travail. **c.** Le service communication **publie** sur les réseaux sociaux. **d.** La responsable marketing **répond** aux messages des clients. **e.** L'assistant **prend des rendez-vous** pour le directeur. **f.** Le service informatique **vérifie** l'état des ordinateurs.

5. a. Vous **allez vous reposer** ce week-end. **b.** Le directeur **ne va pas s'occuper** du contrat aujourd'hui. **c.** Nous **allons nous inscrire** à l'association. **d.** Ils **vont se marier** le 2 juillet. **e.** Je **ne vais pas me coucher** après dix heures ce soir.

6. b. 1 – **c.** 2 – **d.** 6 – **e.** 3 – **f.** 4

7. a. Nous devons lire nos contrats au service des ressources humaines. **Nous y allons dans deux heures. b.** Le service communication demande aux employés de lire le magazine de l'entreprise. **Ils y voient les nouveaux projets. c.** Il faut regarder ton contrat. **On y lit des informations sur le poste. d.** Vous devez venir aux réunions les samedis. **Vous y rencontrez des personnes intéressantes.**

8. a. Je **réponds** à la responsable RH dans une heure. **b.** Bastien, tu **réponds** à cette offre d'emploi ? **c.** Nous **répondons** toujours aux lettres des stagiaires. **d.** Les assistants **répondent** aux questions des clients. **e.** On lit ton message et on **répond** demain ! **f.** Vous **répondez** aux messages sur les réseaux sociaux ?

9. a. Les responsables ne vont pas s'occuper des contrats. **b.** Le directeur des ressources humaines ne répond pas. **c.** Son CDD va finir dans quinze jours. **d.** Quelles sont les missions de l'accueil ? **e.** On y va ou on n'y va pas ?

10. a. Je travaille à l'accueil. **b.** Je travaille de 9 heures à 17 h 30, du lundi au vendredi. **c.** Parce que ma fiche de poste et mes missions sont différentes. **d.** Je fais la liste des nouveaux clients.

11. Date du contrat : *1er août - 30 septembre*
Horaires de travail : **de 8 h à 17 h 30** du lundi au vendredi
Service : **informatique**
Les missions :
– **vérifier l'état des ordinateurs le matin,**
– **choisir et commander les ordinateurs pour le nouveau projet,**
– **animer des ateliers,**
– **aider les collègues à utiliser les services informatiques.**
Nom de la responsable des ressources humaines : **Mme Baticle**
E-mail : **rh.baticle@decobois.com**

12. a. Je vais écrire à Léo. **b.** Je vais répondre au directeur. **c.** Je veux prendre rendez-vous. **d.** Je vais lire ce livre. **e.** Je veux vérifier le contrat. **f.** Je veux partager ce message.

Leçon 30

Se loger

1. a. 1. Benoît Mathieu téléphone à l'agence pour **visiter un appartement à louer. 2.** Le logement est à côté **de la gare. 3.** Le loyer est à **1 250 euros. 4.** L'employée de l'agence demande à Benoît Mathieu de ne pas quitter pour **chercher une information sur Internet.**
b. 1. jeudi **2.** vendredi **3.** mardi, mercredi – Le jour de la visite : jeudi

2. a. Vrai **b.** Vrai **c.** Vrai **d.** Faux. Le T2 est moins lumineux que le T3. **e.** Faux. L'appartement rue Racine est plus petit que l'appartement boulevard Trudaine. **f.** Vrai **g.** Vrai

3. *Location meublée*
Loyer : 1 450 euros
Magnifique logement dans un **immeuble** moderne. **Cuisine** américaine. Un salon très **lumineux** (grandes fenêtres) et une chambre de 14 m². Au 7e **étage** avec **ascenseur**. Deux places de **parking** gratuites. Le chauffage est **collectif**.

4. a. On range les livres sur **une étagère. b.** On range les vêtements et on s'habille dans un **dressing. c.** On fait la sieste dans **un canapé. d.** On travaille sur un ordinateur dans **le bureau. e.** On prépare le repas dans **la cuisine. f.** On prend **l'ascenseur** pour aller au 9e étage. **g.** On se lave dans **la salle de bain. h.** On se chauffe avec **une cheminée.**

5. Phrases avec *être* au passé composé : b, e

6. a. L'appartement de Nora **est plus petit que**

l'appartement de Cléo. b. Le séjour de Nora **est aussi lumineux que** le séjour de Cléo. c. Le lit de Nora **est moins confortable que** le lit de Cléo.

7. a. Notre chambre d'hôtel est **très** confortable. b. L'étagère est **trop** petite pour ranger nos livres. c. Ici, il fait **très** chaud. C'est agréable ! d. Cet enfant est **trop** petit pour s'habiller seul. e. Je ne peux pas sortir parce qu'il fait **trop** froid aujourd'hui. f. Prends un imperméable parce que le ciel est **très** nuageux !

8. a. L'appartement au quatrième étage est très lumineux. b. La salle de bain est aussi grande que la chambre. c. Sur le balcon, il fait moins froid que dans la cuisine. d. Les deux pièces du logement ont des meubles exceptionnels. e. Dans cet immeuble, les loyers sont très chers.

9. a. À Paris, il y a du soleil et il fait froid. b. À Londres, c'est nuageux et il fait froid. c. À Johannesburg, il y a du soleil et il fait chaud. d. À Jakarta, c'est nuageux et il fait chaud. e. À Moscou, il neige et il fait froid. f. À Budapest, il y a du soleil et il fait froid.

Bilan

1. a. Faux b. Vrai c. Faux d. Faux e. Vrai f. Faux g. Vrai h. Vrai i. Faux j. Vrai

2. *Exemple de production :*
Bonjour,
Je m'appelle Noam. Je suis en fac de lettres à l'université Grenoble-Alpes. Je suis inscrit en Master 1. J'habite dans un T3 mais il est trop grand pour moi. Je cherche un(e) étudiant(e) pour partager mon logement. Le logement est dans un immeuble à côté de la gare, au 3e étage. Il y a un grand séjour, une cuisine moderne très confortable et deux chambres. La chambre est exposée au sud. Elle est très lumineuse et elle est meublée. Il y a un grand lit, un petit bureau et une étagère pour les livres. Il n'y a pas de parking mais il y a un arrêt de bus devant l'immeuble. Le loyer est de 530 euros. Vous voulez visiter ? Appelez-moi au 06 86 98 65 98.

3. a. Pour louer une chambre. b. Depuis deux jours. c. Elle est lumineuse. d. Son ami va travailler à Avignon. e. Elle va visiter le logement.

4. *Exemple de production :*
Je m'appelle Stanislas Batho. Je suis directeur d'une école de langue. J'ai eu un master 2 de langue anglaise à l'université de Lille en 2013. J'ai aussi une licence de gestion. En 2013, j'ai travaillé comme professeur d'anglais à l'école English First, en CDD pendant trois ans. Depuis 2016, je suis directeur de l'école Langues Plus à Pau, en contrat à durée indéterminée. Je gère l'activité de l'école, je recrute les professeurs et les employés et je cherche des clients à l'étranger. Voilà mes missions !

Barème :
Je donne mon nom, mon prénom et ma profession.
2 points
Je parle de ma formation et de mes diplômes.
4 points
Je parle de mes expériences professionnelles.
3 points
Je parle de mes missions.
1 point

DELF A1

I Compréhension de l'oral

Exercice 1
1. b. *1 point*
2. c. *1 point*
3. b. *1 point*
4. a. *1 point*

Exercice 2
1. a. *1 point*
2. c. *1 point*
3. a. *1 point*
4. b. *1 point*

Exercice 3
1. c. *1 point*
2. b. *1 point*
3. a. *1 point*
4. a. *1 point*

Exercice 4
a. 2 ; c. 3 ; e. 1 ; f. 4 *1 point par bonne réponse*

Exercice 5
1. b. *1 point*
2. a. *1 point*
3. a. *1 point*
4. b. *1 point*
5. a. *1 point*

II Compréhension des écrits

Exercice 1
1. c. *1 point*
2. b. *1 point*
3. a. *1,5 point*

4. b. *1 point*

5. c. *1,5 point*

Exercice 2

1. b. *1 point*

2. a. *1 point*

3. b. *1 point*

4. b. *2 points*

5. a. *1 point*

Exercice 3

1. c. *1 point*

2. a. *1 point*

3. b. *1 point*

4. c. *2 points*

5. b. *1 point*

Exercice 4

1. a. *2 points*

2. c. *1,5 point*

3. b. *1,5 point*

4. a. *1 point*

5. a. *1 point*

Lexique

Unité 1

Leçon 1

apprendre (v.)	[aprɑ̃dr]
au revoir	[or(ə)vwar]
bien	[bjɛ̃]
bonjour	[bɔ̃ʒur]
bonsoir	[bɔ̃swar]
cahier (un)	[ɛ̃ kaje]
chaise (une)	[yn(ə) ʃɛz]
classe (une)	[yn(ə) klas]
crayon (un)	[ɛ̃ krɛjɔ̃]
écouter (v.)	[ekute]
et	[e]
livre (un)	[ɛ̃ livr]
objet (un)	[ɛ̃nɔbʒɛ]
ordinateur (un)	[ɛ̃nɔrdinatœr]
personne	[pɛrsɔn]
prénom (un)	[ɛ̃ prenɔ̃]
question (une)	[yn(ə) kɛstjɔ̃]
regarder (v.)	[rəgarde]
saluer (v.)	[salɥe]
salut	[saly]
smartphone (un)	[ɛ̃ smartfɔn]
stylo (un)	[ɛ̃ stilo]
table (une)	[yn(ə) tabl]
tableau (un)	[ɛ̃ tablo]
tablette (une)	[yn(ə) tablɛt]

Leçon 2

dimanche	[dimɑ̃ʃ]
jeudi	[ʒødi]
jour (un)	[ɛ̃ ʒur]
lundi	[lɛ̃di]
mardi	[mardi]
merci	[mɛrsi]
mercredi	[mɛrkrədi]
planète (une)	[yn(ə) planɛt]
réponse (une)	[yn(ə) repɔ̃s]
s'il vous plaît	[silvuplɛ]
samedi	[sam(ə)di]
semaine (la)	[la s(ə)mɛn]
soleil (le)	[lə sɔlɛj]
travailler (v.)	[travaje]
vendredi	[vɑ̃drədi]

Leçon 3

comprendre (v.)	[kɔ̃prɑ̃dr]
demander (v.)	[d(ə)mɑ̃de]
pardon	[pardɔ̃]
poliment	[pɔlimɑ̃]
prendre congé (v.)	[prɑ̃dr(ə) kɔ̃ʒe]
répéter (v.)	[repete]
utile (adj.)	[ytil]
ville (une)	[yn(ə) vil]

Unité 2

Leçon 4

dire (v.)	[dir]
être (v.)	[ɛtr]
français(e) (adj.)	[frɑ̃sɛ] / [frɑ̃sɛz]
italien(ne) (adj.)	[italjɛ̃] / [italjɛn]
mexicain(e) (adj.)	[mɛksikɛ̃] / [mɛksikɛn]
nigérian(e) (adj.)	[niʒerjɛ̃] / [niʒerjan]
nom (un)	[ɛ̃ nɔ̃]
pays (un)	[ɛ̃ pei]
polonais(e) (adj.)	[pɔlɔnɛ] / [pɔlɔnɛz]
professeur(e) (un/une)	[ɛ̃ prɔfesœr] / [yn(ə) prɔfesœr]
profession (une)	[yn(ə) prɔfesjɔ̃]
réseau (un)	[ɛ̃ rezo]
s'appeler (v.)	[sap(ə)le]
se présenter (v.)	[s(ə) prezɑ̃te]
suisse (adj.)	[sɥis]
utiliser (v.)	[ytilize]

Leçon 5

bonne journée	[bɔn ʒurne]
décider (v.)	[deside]
e-mail (un)	[ɛ̃nimɛl]
habiter	[abite]
information (une)	[ynɛ̃fɔrmasjɔ̃]
journée (la)	[la ʒurne]
langue (une)	[yn(ə) lɑ̃g]
madame	[madam]
monsieur	[məsjø]
numéro de téléphone (un)	[ɛ̃ nymero də telefɔn]
parler (v.)	[parle]
salon (un)	[ɛ̃ salɔ̃]
visiteur/euse (un/une)	[vizitœr] / [vizitøz]

Leçon 6

âge (un)	[ɛ̃naʒ]
ampoule (une)	[ynɑ̃pul]
août	[ut]
avion (un)	[ɛ̃navjɔ̃]
avoir (v.)	[avwar]
avril	[avril]
chambre (une)	[yn(ə) ʃɑ̃br]
décembre	[desɑ̃br]
février	[fevrje]
grand(e) (adj.)	[grɑ̃] / [grɑ̃d]
janvier	[ʒɑ̃vje]
juillet	[ʒɥijɛ]
juin	[ʒɥɛ̃]
mai	[mɛ]
marche (une)	[yn(ə) marʃ]
mars	[mars]
novembre	[nɔvɑ̃br]
octobre	[ɔktɔbr]
quartier (un)	[ɛ̃ kartje]
réserver (v.)	[rezɛrve]

septembre	[sɛptãbr]
super	[sypɛr]
voyage (un)	[ɛ̃ vwajaʒ]

Leçon 7

carte de visite (une)	[yn(ə) kart(ə) də vizit]
créer (v.)	[kree]
description (une)	[yn(ə) dɛskripsjɔ̃]
trombinoscope (un)	[ɛ̃ trɔ̃binɔskɔp]
visite (une)	[yn(ə) vizit]

Unité 3

Leçon 8

arbre généalogique (un)	[ɛ̃narbr(ə) ʒenealɔʒik]
artiste (un/une)	[ɛ̃nartist] / [ynartist]
c'est	[sɛ]
chanteur/euse (un/ une)	[ɛ̃ ʃãtœr] / [yn(ə) ʃãtøz]
conservateur/trice (un/ une)	[ɛ̃ kɔ̃sɛrvatœr] / [yn(ə) kɔ̃sɛrvatris]
cousin(e) (le/la)	[lə kuzɛ̃] [la kuzin]
écrivain(e) (un/une)	[ɛ̃nekrivɛ̃] / [ynekrivɛn]
enfants (les)	[le zãfã]
famille (une)	[yn(ə) famij]
fille (la)	[la fij]
fils (le)	[lə fis]
frère (le)	[lə frɛr]
grand-mère (la)	[la grãmɛr]
grand-père (le)	[lə grãpɛr]
grands-parents (les)	[le grãparã]
liste (une)	[yn(ə) list]
mère (la)	[la mɛr]
musicien(ne) (un/une)	[ɛ̃ myzisjɛ̃] / [yn(ə) myzisjɛn]
oncle (l')	[lɔ̃kl]
parents (les)	[le parã]
père (le)	[lə pɛr]
petite-fille (la)	[la p(ə)titfij]
petit-fils (le)	[lə p(ə)tifis]
petits-enfants (les)	[le p(ə)tizãfã]
poète(sse) (un/une)	[ɛ̃ pɔɛt] / [yn(ə) pɔɛtɛs]
porter	[pɔrte]
réalisateur/trice (un/ une)	[ɛ̃ realizatœr]/ [yn(ə) realizatris]
sœur (la)	[la sœr]
tante (la)	[la tãt]
titre (un)	[ɛ̃ titr]

Leçon 9

adorable (adj.)	[adɔrabl]
adorer	[adɔre]
ami(e) (un/une)	[ɛ̃nami] /[ynami]
apparence (l')	[laparãs]
beau/belle (adj.)	[bo] / [bɛl]
blond(e) (adj.)	[blɔ̃] / [blɔ̃d]
brun(e) (adj.)	[brɛ̃] / [bryn]
caractère (le)	[lə karaktɛr]
chanson (une)	[yn(ə) ʃãsɔ̃]

chapeau (un)	[ɛ̃ ʃapo]
chaussure (une)	[yn(ə) ʃosyr]
chemise (une)	[yn(ə) ʃəmiz]
cheveux (les)	[le ʃəvø] ou [le ʃfø]
chic	[ʃik]
collègue (un/une)	[ɛ̃ kɔlɛg] [yn(ə) kɔlɛg]
copain/ine (un/une)	[ɛ̃ kɔpɛ̃] / [yn kɔpin]
corps (le)	[lə kɔr]
court(e) (adj.)	[kur] / [kurt]
décrire (v.)	[dekrir]
élégant(e) (adj.)	[elegã] / [elegãt]
fête (une)	[yn(ə) fɛt]
garçon (un)	[ɛ̃ garsɔ̃]
invitation (une)	[ynɛ̃vitasjɔ̃]
invité(e) (un/une)	[ɛ̃nɛ̃vite] / [ynɛ̃vite]
japonais(e) (adj.)	[ʒapɔnɛ] / [ʒapɔnɛz]
joli(e) (adj.)	[ʒɔli] / [ʒɔli]
karaoké (le)	[lə karaoke]
long(ue) (adj.)	[lɔ̃] / [lɔ̃g]
lunettes (des)	[de lynɛt]
pantalon (un)	[ɛ̃ pãtalɔ̃]
petit(e)	[p(ə)ti] / [p(ə)tit]
physique (le)	[lə fizik]
prononcer (v.)	[prɔnɔ̃se]
rechercher (v.)	[rəʃɛrʃe]
restaurant (un)	[ɛ̃ rɛstorã]
robe (une)	[yn(ə) rɔb]
sac (un)	[ɛ̃ sak]
sérieux /sérieuse (adj.)	[serjø] / [serjøz]
soirée (une)	[yn(ə) sware]
sportif / sportive (adj.)	[spɔrtif] / [spɔrtiv]
sympa (adj.)	[sɛ̃pa]
tee-shirt (un)	[ɛ̃ tiʃœrt]
triste (adj.)	[trist]
veste (une)	[yn(ə) vɛst]
vêtement (un)	[ɛ̃ vɛt(ə)mã]

Leçon 10

activité (une)	[ynaktivite]
aimer (v.)	[eme]
basket (le)	[lə baskɛt]
bébé (un)	[ɛ̃ bebe]
cinéma (le)	[lə sinema]
cinéphile (adj.)	[sinefil]
danser (v.)	[dãse]
désolé(e) (adj.)	[dezɔle] / [dezɔle]
lire (v.)	[lir]
loisir (un)	[ɛ̃ lwazir]
nourriture (la)	[la nurityr]
nouveau (nouvelle) (adj.)	[nuvo] / [nuvɛl]
opéra (l')	[lopera]
préférer (v.)	[prefere]
retourner (v.)	[rəturne]
tennis (le)	[lə tenis]

Lexique

Leçon 11

calme (adj.)	[kalm]
dire au revoir (v.)	[diror(ə)vwar]
guide (un/une)	[ɛ̃ gid] / yn(ə) gid]
organiser (v.)	[ɔrganize]
travail (un)	[ɛ̃ travaj]

Unité 4

Leçon 12

à côté	[a kɔte]
à pied	[a pje]
à vélo	[a velo]
achat (un)	[ɛ̃naʃa]
administration (l')	[ladministrasjɔ̃]
appartement (un)	[ɛ̃napartəmɑ̃]
arrêt de bus (un)	[ɛ̃narɛ d(ə) bys]
bateau (un)	[ɛ̃ bato]
bus (le)	[lə bys]
café (un)	[ɛ̃ kafe]
cathédrale (une)	[yn(ə) katedral]
château (un)	[ɛ̃ ʃato]
consulat (un)	[ɛ̃ kɔ̃syla]
déplacement (un)	[ɛ̃ deplas(ə)mɑ̃]
église (une)	[ynegliz]
gare (une)	[yn(ə) gar]
hôtel (un)	[ɛ̃notɛl]
hôtel de ville (l')	[lotɛl də vil]
ici	[isi]
il y a	[ilija]
intéressant(e) (adj.)	[ɛ̃teresɑ̃] / [ɛ̃teresɑ̃t]
jardin (un)	[ɛ̃ ʒardɛ̃]
là	[la]
lieu (un)	[ɛ̃ ljø]
loin	[lwɛ̃]
magasin (un)	[ɛ̃ magazɛ̃]
mairie (la)	[la mɛri]
marché (un)	[ɛ̃ marʃe]
métro (le)	[lə metro]
monument (un)	[ɛ̃ mɔnymɑ̃]
musée (un)	[ɛ̃ myze]
nord (le)	[lə nɔr]
ouest (l')	[lwɛst]
parc (un)	[ɛ̃ park]
pharmacie (une)	[yn(ə) farmasi]
plan (un)	[ɛ̃ plɑ̃]
point cardinal (un)	[ɛ̃ pwɛ̃ kardinal]
port (un)	[ɛ̃ pɔr]
santé (la)	[la sɑ̃te]
stade (un)	[ɛ̃ stad]
station de métro (une)	[yn(ə) stasjɔ̃ də metro]
station de tramway (une)	[yn(ə) stasjɔ̃ də tramwɛ]
station-service (une)	[yn(ə) stasjɔ̃ sɛrvis]
sud (le)	[lə syd]
supermarché (un)	[ɛ̃ sypɛrmarʃe]
train (un)	[ɛ̃ trɛ̃]

transport (un)	[ɛ̃ trɑ̃spɔr]
typique (adj.)	[tipik]
visiter (v.)	[vizite]
voiture (une)	[yn(ə) vwatyr]
week-end (le)	[lə wikɛn]

Leçon 13

à droite	[a drwat]
à gauche	[a goʃ]
allée (une)	[ynale]
aller (v.)	[ale]
atelier (un)	[ɛ̃natəlje]
au bout	[o bu]
avenue (une)	[ynav(ə)ny]
banque (la)	[la bɑ̃k]
boulevard (un)	[ɛ̃ bul(ə)var]
boulodrome (le)	[lə bulɔdrɔm]
c'est par là	[sɛ par la]
chemin (un)	[ɛ̃ ʃ(ə)mɛ̃]
chercher (v.)	[ʃɛrʃe]
collège (le)	[lə kɔlɛʒ]
continuer (v.)	[kɔ̃tinɥe]
cours (un)	[yn kur]
crèche (la)	[la krɛʃ]
direction (une)	[yn(ə) dirɛksjɔ̃]
distributeur de billets (le)	[lə distribytœr də bijɛ]
école (l')	[lekɔl]
éducation (l')	[ledykasjɔ̃]
gare routière (la)	[la gar(ə) rutjɛr]
hôpital (l')	[lopital]
itinéraire (un)	[ɛ̃nitinerɛr]
jeu (un)	[ɛ̃ ʒø]
lycée (le)	[lə lise]
office de tourisme (l')	[lɔfis də turism]
où	[u]
place (une)	[yn(ə) plas]
police (la)	[la polis]
poste (la)	[la pɔst]
programme (un)	[ɛ̃ prɔgram]
rue (une)	[yn(ə) ry]
s'excuser (v.)	[sɛkskyze]
services (les)	[le sɛrvis]
toilettes (les)	[le twalɛt]
tourner (v.)	[turne]
tout droit	[tu drwa]

Leçon 14

accepter (v.)	[aksepte]
animation (une)	[ynanimasjɔ̃]
après-midi (l')	[laprɛmidi]
art (l')	[lar]
balade (une)	[yn(ə) balad]
bar (un)	[ɛ̃ bar]
boire un verre (v.)	[bwarɛ̃ vɛr]
brunch (un)	[ɛ̃ brœntʃ]
danse (la)	[la dɑ̃s]

dîner (v.)	[dine]
être libre	[ɛtr(ə) libr]
exposition (une)	[ynɛkspɔzisjɔ̃]
faire (v.)	[fɛr]
film (un)	[ɛ̃ film]
fixer un rendez-vous	[fikse ɛ̃ rãdevu]
gratuit(e) (adj.)	[gratɥi] / [gratɥit]
heure (l')	[lœr]
informel(le)	[ɛ̃fɔrmɛl] / [ɛ̃fɔrmɛl]
jogging (le)	[lə dʒɔgiŋ]
libre (adj.)	[libr]
manifestation (une)	[yn(ə) manifɛstasjɔ̃]
matin (le)	[lə matɛ̃]
message vocal (un)	[ɛ̃ mesaʒ(ə) vɔkal]
midi	[midi]
minuit	[minɥi]
peinture (la)	[la pɛ̃tyr]
photo (la)	[la foto]
pouvoir (v.)	[puvwar]
promenade (une)	[yn(ə) prɔm(ə)nad]
proposer (v.)	[prɔpɔze]
réalité virtuelle (la)	[la realite virtɥɛl]
refuser (v.)	[rəfyze]
sculpture (la)	[la skyltyr]
soir (le)	[lə swar]
sortie (une)	[yn(ə) sɔrti]
sortir (v.)	[sɔrtir]
spectacle (un)	[ɛ̃ spɛktakl]
terrasse (une)	[yn(ə) teras]
venir (v.)	[v(ə)nir]
vouloir (v.)	[vulwar]

Unité 5

Leçon 15

carte postale (la)	[la kart(ə) pɔstal]
choisir (v.)	[ʃwazir]
rendez-vous (un)	[ɛ̃ rãdevu]

Leçon 16

abdo(minaux) (des)	[dezabdo(mino)]
après	[aprɛ]
courses (les)	[le kurs]
d'abord	[dabɔr]
déjeuner (le)	[lə deʒøne]
dîner (le)	[lə dine]
dormir (v.)	[dɔrmir]
faire la lessive	[fɛr la lesiv]
faire la sieste	[fɛr la sjɛst]
faire la vaisselle	[fɛr la vɛsɛl]
faire le ménage	[fɛr lə menaʒ]
faire les courses	[fɛr le kurs]
jamais	[ʒamɛ]
muscu(lation la)	[la myskylasjɔ̃]
nuit (la)	[la nɥi]
petit déjeuner (un)	[ɛ̃ p(ə)ti deʒøne]

quotidien (le)	[lə kɔtidjɛ̃]
quotidien(ne) (adj.)	[kɔtidjɛ̃] / [kɔtidjɛn]
ranger (v.)	[rãʒe]
rentrer chez soi (v.)	[rãtre ʃe swa]
repas (un)	[ɛ̃ rəpa]
s'habiller (v.)	[sabije]
salle de gym (la)	[la sal də ʒim]
se coucher (v.)	[s(ə) kuʃe]
se doucher (v.)	[s(ə) duʃe]
se laver (v.)	[s(ə) lave]
se lever (v.)	[s(ə) ləve]
se reposer (v.)	[s(ə) rəpɔze]
sieste (une)	[yn(ə) sjɛst]
témoignage (un)	[ɛ̃ temwaɲaʒ]
tranquille (adj.)	[trãkil]

Leçon 17

banane (une)	[yn(ə) banan]
barquette (une)	[yn(ə) barkɛt]
beurre (le)	[lə bœr]
boîte (une)	[yn bwat]
boucherie-charcuterie (une)	[yn(ə) buʃ(ə)riʃarkyt(ə)ri]
boulangerie-pâtisserie (une)	[yn(ə) bulãʒ(ə)ripatis(ə)ri]
bouteille (une)	[yn butɛj]
carotte (une)	[yn(ə) karɔt]
cerise (une)	[yn(ə) səriz]
commander (v.)	[kɔmãde]
commerce (un)	[ɛ̃ kɔmɛrs]
condiment (un)	[ɛ̃ kɔ̃dimã]
confiture (la)	[la kɔ̃fityr]
contenant (un)	[ɛ̃ kɔ̃tənã]
courgette (une)	[yn(ə) kurʒɛt]
crème (la)	[la krɛm]
fraise (une)	[yn(ə) frɛz]
fromagerie (une)	[yn(ə) frɔmaʒəri]
fruit (un)	[ɛ̃ frɥi]
lait (le)	[lə lɛ]
légume (un)	[ɛ̃ legym]
melon (un)	[ɛ̃ məlɔ̃]
moutarde (la)	[la mutard]
œuf (un)	[ɛ̃nœf]
oignon (un)	[ɛ̃nɔɲɔ̃]
paquet (un)	[ɛ̃ pakɛ]
poire (une)	[yn(ə) pwar]
poisson (le)	[lə pwasɔ̃]
poissonnerie (une)	[yn(ə) pwasɔn(ə)ri]
poivre (le)	[lə pwavr]
pomme (une)	[yn(ə) pɔm]
pomme de terre (une)	[yn(ə) pɔm də tɛr]
pot (un)	[ɛ̃ po]
prendre (v.)	[prãdr]
primeur (un)	[ɛ̃ primœr]
prix (un)	[ɛ̃ pri]
produit laitier (un)	[ɛ̃ prɔdɥi lɛtje]
promotion (une)	[yn(ə) prɔmɔsjɔ̃]
salade (une)	[yn(ə) salad]

sel (le)	[lə sɛl]
steak (un)	[ɛ̃ stɛk]
sucre (le)	[lə sykr]
tomate (une)	[yn(ə) tɔmat]
viande (la)	[la vjãd]

Leçon 18

accessoire (un)	[ɛ̃nakseswar]
aider (v.)	[ede]
baskets (des)	[de baskɛt]
beige (adj.)	[bɛʒ]
blanc/blanche (adj.)	[blã] [blãʃ]
bleu(e) (adj.)	[blø]
blouson (un)	[ɛ̃ bluzɔ̃]
bottes (des)	[de bɔt]
boutique (une)	[yn(ə) butik]
cabine d'essayage (une)	[yn(ə) kabin desejaʒ]
caisse (la)	[la kɛs]
ceinture (une)	[yn(ə) sɛ̃tyr]
centre commercial (un)	[ɛ̃ sãtrə kɔmɛrsjal]
chaussures à talons (des)	[de ʃosyra talɔ̃]
client(e) (un/une)	[ɛ̃ kljã] [yn(ə) kljãt]
confortable (adj.)	[kɔ̃fɔrtabl]
costume (un)	[ɛ̃ kɔstym]
décontracté(e) (adj.)	[dekɔ̃trakte]
derrière	[dɛrjɛr]
devant	[d(ə)vã]
essayer (v.)	[eseje]
fermer (v.)	[fɛrme]
foulard (un)	[ɛ̃ fular]
grand magasin (un)	[ɛ̃ grãmagazɛ̃]
gris/se	[gri] / [griz]
jaune	[ʒon]
jean (un)	[ɛ̃ dʒin]
jupe (une)	[yn(ə) ʒyp]
magnifique (adj.)	[maɲifik]
manteau (un)	[ɛ̃ mãto]
mode (la)	[la mɔd]
noir(e) (adj.)	[nwar] / [nwar]
orange (adj.)	[ɔrãʒ]
parfait(e) (adj.)	[parfɛ] / [parfɛt]
placer (v.)	[plase]
renseigner (v.)	[rãsɛɲe]
rose (adj.)	[roz]
rouge (adj.)	[ruʒ]
sandales (des)	[de sãdal]
short (un)	[ɛ̃ ʃɔrt]
sous	[su]
sur	[syr]
taille (la)	[la taj]
top (un)	[ɛ̃ tɔp]
vendeur/vendeuse (un/une)	[ɛ̃ vãdœr] / [yn(ə) vãdøz]
vérifier (v.)	[verifje]
vert(e) (adj.)	[vɛr] / [vɛrt]

Leçon 19

annonce (une)	[ynanɔ̃s]
déposer (v.)	[depɔze]
fatigué(e) (adj.)	[fatige]
porter (un vêtement)	[pɔrte ɛ̃ vɛt(ə)mã]
très	[trɛ]

Unité 6

Leçon 20

ail (l')	[laj]
ajouter (v.)	[aʒute]
aubergine (une)	[ynobɛrʒin]
beaucoup de	[boku də]
bœuf (le)	[lə bœf]
boulette d'agneau (une)	[yn(ə) bulɛt daɲo]
casserole (une)	[yn(ə) kasərɔl]
chaud(e) (adj.)	[ʃo] / [ʃod]
chauffer (v.)	[ʃofe]
cocotte (une)	[yn(ə) kɔkɔt]
couper (v.)	[kupe]
couteau (un)	[ɛ̃ kuto]
cuillère (une)	[yn(ə) kɥijɛr]
cuillère à soupe (une)	[yn(ə) kɥijɛra sup]
cuisinière (une)	[yn(ə) kɥizinjɛr]
éplucher (v.)	[eplyʃe]
faire cuire (v.)	[fɛr kɥir]
faire revenir (v.)	[fɛr(ə) rəv(ə)nir]
four (un)	[ɛ̃ fur]
fourchette (une)	[yn(ə) furʃɛt]
froid(e) (adj.)	[frwa] / [frwad]
gousse (une)	[yn(ə) gus]
haché(e) (adj.)	[aʃe] / [aʃe]
hacher (v.)	[aʃe]
huile d'olive (l')	[lɥil dɔliv]
indispensable (adj.)	[ɛ̃dispãsabl]
laisser (v.)	[lɛse]
laurier (le)	[lə lorje]
manger (v.)	[mãʒe]
mélanger (v.)	[melãʒe]
moule (un)	[ɛ̃ mul]
pas de	[pa də]
passoire (une)	[yn(ə) paswar]
peler (v.)	[pəle]
poêle (une)	[yn(ə) pwal]
poivron (un)	[ɛ̃ pwavrɔ̃]
ratatouille (la)	[la ratatuj]
recette (une)	[yn(ə) rəsɛt]
saladier (un)	[ɛ̃ saladje]
spécialité (une)	[ynə spesjalite]
thym (le)	[lə tɛ̃]
un peu de	[ɛ̃ pø də]
ustensile (un)	[ɛ̃nystãsil]

Leçon 21

addition (une)	[ynadisjɔ̃]
apéritif (un)	[ɛ̃naperitif]
ardoise (une)	[ynardwaz]
boisson (une)	[yn(ə) bwasɔ̃]
carafe (une)	[yn(ə) karaf]
carte (une)	[yn(ə) kart]
choix (un)	[lə ʃwa]
coordonnées (des)	[de kɔɔrdɔne]
déjeuner (v.)	[deʒøne]
dessert (un)	[ɛ̃ desɛr]
eau (l')	[lo]
entrée (une)	[ynɑ̃tre]
formule (une)	[yn(ə) fɔrmyl]
jus de fruits (un)	[ɛ̃ ʒy də frɥi]
menu (un)	[ɛ̃ məny]
payer (v.)	[peje]
pichet (un)	[ɛ̃ piʃɛ]
plat (un)	[ɛ̃ pla]
raconter (v.)	[rakɔ̃te]
vin (le)	[lə vɛ̃]

Leçon 22

applaudir (v.)	[aplodir]
bague (une)	[yn(ə) bag]
bande-annonce (une)	[yn(ə) bɑ̃danɔ̃s]
couple (un)	[ɛ̃ kupl]
demain	[d(ə)mɛ̃]
demande (une)	[yn(ə) dəmɑ̃d]
demande en mariage (une)	[yn(ə) dəmɑ̃dɑ̃ marjaʒ]
descendre (v.)	[desɑ̃dr]
événement (un)	[ɛ̃nevɛn(ə)mɑ̃]
fiancé(e) (un/une)	[ɛ̃ fijɑ̃se] / [yn(ə) fijɑ̃se]
journal (un)	[ɛ̃ ʒurnal]
mariage (le)	[lə marjaʒ]
pleurer (v.)	[pløre]
salle de cinéma (une)	[yn(ə) sal də sinema]
scénario (un)	[ɛ̃ senarjo]
se marier (v.)	[s(ə) marje]
spectateur/trice (un/e)	[ɛ̃ spɛktatœr] / yn(ə) spɛktatris]
surpris(e) (adj.)	[syrpri] / [syrpriz]
surprise (une)	[yn(ə) syrpriz]
temps (le)	[lə tɑ̃]
vacances (des)	[de vakɑ̃s]

Leçon 23

absolument	[apsɔlymɑ̃]
agréable (adj.)	[agreabl]
avis (un)	[ɛ̃navi]
cabillaud (le)	[lə kabijo]
commentaire (un)	[ɛ̃ kɔmːɑ̃tɛr]
donner son avis (v.)	[dɔne sɔnavi]
récit (un)	[ɛ̃ resi]
thé (un)	[ɛ̃ te]

Leçon 24

antibiotique (un)	[ɛ̃nɑ̃tibjɔtik]
arrêter (v.)	[arɛte]
avoir mal (v.)	[avwar mal]
bouche (la)	[la buʃ]
bras (le)	[lə bra]
carte Vitale (la)	[la kart(ə) vital]
connaître (v.)	[kɔnɛtr]
connaître quelqu'un (v.)	[kɔnɛtr(ə) kɛlkɛ̃]
conseil (un)	[kɔ̃sɛj]
conseiller (v.)	[kɔ̃seje]
consulter (v.)	[kɔ̃sylte]
cou (le)	[lə ku]
debout	[dəbu]
dent (une)	[yn(ə) dɑ̃]
dentiste (un/une)	[ɛ̃ dɑ̃tist] / [yn(ə) dɑ̃tist]
depuis	[dəpɥi]
devoir (v.)	[dəvwar]
docteur(e) (un/une)	[ɛ̃ dɔktœr] / [yn(ə) dɔktœr]
donner un conseil	[dɔne ɛ̃ kɔ̃sɛj]
dos (le)	[lə do]
douleur (la)	[la dulœr]
durée (une)	[yn(ə) dyre]
écran (un)	[ɛ̃nekrɑ̃]
être en forme (v.)	[ɛtrɑ̃ fɔrm]
éviter (v.)	[evite]
falloir	[falwar]
fièvre (la)	[la fjɛvr]
fumer (v.)	[fyme]
gorge (la)	[la gɔrʒ]
grippe (une)	[yn(ə) grip]
infirmier(ère) (un/une)	[ɛ̃nɛ̃firmje] / [yn(ə) firmjɛr]
jambe (la)	[la ʒɑ̃b]
main (la)	[la mɛ̃]
maintenant	[mɛ̃t(ə)nɑ̃]
mal de dos (un)	[ɛ̃ mal də do]
maladie (une)	[yn(ə) maladi]
médecin (un)	[ɛ̃ metsɛ̃] ou [ɛ̃ medəsɛ] / [yn(ə) metsɛ̃] ou [yn(ə) medəsɛ̃]
médicament (un)	[ɛ̃ medikamɑ̃]
mettre ses chaussures (v.)	[mɛtr(ə) se ʃosyr]
ordonnance (une)	[ynɔrdɔnɑ̃s]
paracétamol (le)	[lə parasetamɔl]
pharmacien(ne) (un/ une)	[ɛ̃ farmasjɛ̃] / [yn(ə) farmasjɛn]
pied (le)	[lə pje]
pneumologue (un/une)	[ɛ̃ pnømɔlɔg] / [yn(ə) pnømɔlɔg]
rhinite (une)	[yn(ə) rinit]
rhume (un)	[ɛ̃ rym]
s'accroupir (v.)	[sakrupir]
s'asseoir (v.)	[saswar]
se pencher (v.)	[s(ə) pɑ̃ʃe]
sirop (un)	[ɛ̃ siro]

symptôme (un)	[ɛ̃ sɛ̃ptom]
tabacologue (un/une)	[ɛ̃ tabakɔlɔg] [yn(ə) tabakɔlɔg]
tête (la)	[la tɛt]
tousser (v.)	[tuse]
toux (la)	[la tu]
traitement (un)	[ɛ̃ trɛt(ə)mã]
ventre (le)	[lə vãtr]
virus (un)	[ɛ̃ virys]
yeux (les)	[lezjø]

Leçon 25

association (une)	[ynasɔsjasjɔ̃]
autoproduction (une)	[ynotoprɔdyksjɔ̃]
autre (un/une)	[ɛ̃notr] / [ynotr]
bio (adj.)	[bjo]
but (un)	[ɛ̃ byt]
collectif(ve) (adj.)	[kɔlɛktif]
compost (le)	[lə kɔ̃pɔst]
concept (un)	[ɛ̃ kɔ̃sɛpt]
dans	[dã]
embellir (v.)	[ãbelir]
engrais (un)	[ɛ̃ nãgrɛ]
environnement (l')	[lãvirɔn(ə)mã]
être d'accord (v.)	[ɛtr(ə) dakɔr]
inscrire (v.)	[ɛ̃skrir]
jardin partagé (un)	[ɛ̃ ʒardɛ̃ partaʒe]
jardinage (le)	[lə ʒardinaʒ]
jardinier(ère) (un/une)	[ɛ̃ ʒardinje] / [yn(ə) ʒardinjɛr]
laryngite (une)	[yn(ə) larɛ̃ʒit]
naturel(le) (adj.)	[natyrɛl] / [natyrɛl]
objectif (un)	[ɛ̃nɔbʒɛktif]
ouverture (une)	[ynuvɛrtyr]
ouvrir (v.)	[uvrir]
parce que	[pars(ə) kə]
parcelle (une)	[yn(ə) parsɛl]
partager (v.)	[partaʒe]
plantation (une)	[yn(ə) plãtasjɔ̃]
planter (v.)	[plãte]
plastique (le)	[lə plastik]
pour	[pur]
pourquoi	[purkwa]
pousser (v.)	[puse]
prochain(e) (adj.)	[prɔʃɛ̃] / [prɔʃɛn]
projet (un)	[ɛ̃ prɔʒɛ]
respecter (v.)	[rɛspɛkte]
réunion (une)	[yn(ə) reynjɔ̃]
rien	[rjɛ̃]
s'inscrire (v.)	[sɛ̃skrir]
terrain (un)	[ɛ̃ terɛ̃]
toit (un)	[ɛ̃ twa]
trottoir (un)	[ɛ̃ trɔtwar]
végétalisation (la)	[la veʒetalizasjɔ̃]
voisin(e) (un/une)	[ɛ̃ vwazɛ̃] / [yn(ə) vwazin]

Leçon 26

aéroport (un)	[ɛ̃naerɔpɔr]
animé(e) (adj.)	[anime]
appréciation (une)	[ynapresjasjɔ̃]
concours (un)	[ɛ̃ kɔ̃kur]
découvrir (v.)	[dekuvrir]
délicieux/se (adj.)	[delisjø] / [delisjøz]
magique (adj.)	[maʒik]
marche (la) > marcher	[la marʃ] / [marʃe]
moderne (adj.)	[mɔdɛrn]
monorail (le)	[lə monoraj]
passion (une)	[yn(ə) pasjɔ̃]
quitter (v.)	[kite]
randonnée (une)	[yn(ə) rãdɔne]
taxi (un)	[ɛ̃ taksi]
traditionnel(le)	[tradisjɔnɛl] / [tradisjɔnɛl]
trek (un)	[ɛ̃ trɛk]
valise (une)	[yn(ə) valiz]
vol (un)	[ɛ̃ vɔl]
voyager	[vwajaʒe]

Unité 8

Leçon 27

bip sonore (un)	[ɛ̃ bip sɔnɔr]
disponibilité (une)	[yn(ə)dispɔnibilite]
explication (une)	[ynɛkplikasjɔ̃]
fauteuil roulant (un)	[ɛ̃ fotœj rulã]
montgolfière (une)	[yn(ə) mɔ̃gɔlfjɛr]
nul(le) (adj.)	[nyl] / [nyl]
pause (une)	[yn(ə) poz]
pique-nique (un)	[ɛ̃ piknik]
plate-forme (une)	[yn(ə) platfɔrm]
rappeler (v.)	[rapəle]
remercier (v.)	[rəmɛrsje]
souhaiter (v.)	[swɛte]
volcan (un)	[vɔlkã]

Leçon 28

alternance (l')	[laltɛrnãs]
alternant/e (un/une)	[ɛ̃naltɛrnã] / [ynaltɛrnãt]
architecture (l')	[larʃitɛktyr]
assister (v.)	[asiste]
bac (le)	[lə bak]
chimie (la)	[la ʃimi]
circulaire (adj.)	[sirkylɛr]
communication (la)	[la kɔmynikasjɔ̃]
cordialement	[kɔrdjal(ə)mã]
cursus (un)	[ɛ̃ kyrsys]
CV (un)	[ɛ̃ seve]
diplôme (un)	[ɛ̃ diplom]
disponible (adj.)	[dispɔnibl]
doctorat (un)	[ɛ̃ dɔktɔra]
droit (le)	[lə drwa]
économie (l')	[lekɔnɔmi]

entreprise (l')	[lãtrəpriz]
envisager	[ãvisaʒe]
étudiant(e) (un/une)	[ɛ̃netudjã] / [ynetydjãt]
étudier (v.)	[etydje]
expliquer (v.)	[ɛksplike]
fac (la)	[la fak]
formation (une)	[yn(ə) fɔrmasjɔ̃]
formel(le)	[fɔrmɛl] / [fɔrmɛl]
gaspillage (le)	[lə gaspijaʒ]
gestion (la)	[la ʒɛstjɔ̃]
informatique (l')	[lɛ̃fɔrmatik]
innovant/e (adj.)	[inɔvã] / [inɔvãt]
innovation (l')	[linɔvasjɔ̃]
langues (les)	[le lãg]
licence (une)	[yn(ə) lisãs]
limiter (v.)	[limite]
management (le)	[lə manaʒ(ə)mãt]
master (un)	[ɛ̃ mastœr]
motivé(e) (adj.)	[mɔtive] / [mɔtive]
obtenir (v.)	[ɔptənir]
responsable (adj.)	[rɛspɔ̃sabl]
responsable (un/une)	[ɛ̃ rɛspɔ̃sabl] / [yn(ə) rɛspɔ̃sabl]
savoir (v.)	[savwar]
stage (un)	[ɛ̃ staʒ]
stagiaire (un/une)	[ɛ̃ staʒjɛr] [yn(ə) staʒjɛr]
startup (une)	[yn(ə) startœp]
suivre (v.)	[sɥivr]
valider (v.)	[valide]

Leçon 29

accueil (l')	[lakœj]
analyser (v.)	[analize]
animer (v.)	[anime]
assistant/e (un/une)	[ɛ̃nasistã] / [ynasistãt]
bureau (un)	[ɛ̃ buro]
CDI (un)	[ɛ̃ sedei]
chargé/e (un/une)	[ɛ̃ʃarʒe] / [yn(ə) ʃarʒe]
commode (adj.)	[kɔmɔd]
contacter (v.)	[kɔ̃takte]
contrat (un)	[ɛ̃ kɔ̃tra]
CTT (un)	[ɛ̃ setete]
développement (le)	[lə dev(ə)lɔp(ə)mã]
développer (v.)	[dev(ə)lɔpe]
directeur/trice (un/ une)	[ɛ̃ dirɛktœr] / [yn(ə)dirɛktris]
don (un)	[ɛ̃dɔ̃]
écrire (v.)	[ekrir]
être en retard (v.)	[ɛtrã r(ə)tar]
faire la liste (v.)	[fɛr la list]
fiche de poste (une)	[yn(ə) fiʃ də pɔst]
gérer (v.)	[ʒere]
horaires (des)	[dezɔrɛr]
intérim (l')	[lɛ̃terim]
marketing (le)	[lə marketiŋ]
mission (une)	[yn(ə) misjɔ̃]

monnaie virtuelle (une)	[yn(ə) mɔnɛ virtɥɛl]
nouveau/elle (un/une)	[ɛ̃ nuvo] / [yn(ə) nuvɛl]
partenariat (un)	[ɛ̃ partənarja]
poste (un)	[ɛ̃ pɔst]
prendre rendez-vous (v.)	[prãdr(ə) rãdevu]
président/e (un/une)	[ɛ̃ prezidã] / [yn(ə) prezidãt]
prêt (un)	[ɛ̃ prɛ]
publier (v)	[pyblije]
remplacer (v.)	[rãplase]
renouvelable (adj.)	[rənuv(ə)labl]
RH (ressources humaines) (les)	[le rəsursəzymɛn]
salaire (un)	[ɛ̃ salɛr]
siège social (un)	[ɛ̃ sjɛʒ sɔsjal]
troc (le)	[lə trɔk]

Leçon 30

agence (immobilière) (une)	[ynaʒãsimɔbiljɛr]
ancien/ne (adj.)	[ãsjɛ̃] / [ãsjɛn]
armoire (une)	[ynarmwar]
ascenseur (un)	[ɛ̃nasãsœr]
baignoire (une)	[yn(ə) bɛɲwar]
balcon (un)	[ɛ̃ balkɔ̃]
canapé (un)	[ɛ̃ kanape]
cave (une)	[yn(ə) kav]
chauffage (le)	[lə ʃofaʒ]
cheminée (une)	[yn(ə) ʃ(ə)mine]
cher/chère (adj.)	[ʃɛr] / [ʃɛr]
clair/e (adj.)	[klɛr] / [klɛr]
cuisine (une)	[yn(ə) kɥizin]
deuxième	[døzjɛm]
dressing (un)	[ɛ̃ dresiŋ]
électrique (adj.)	[elɛktrik]
entrée (une)	[ynãtre]
équipé(e) (adj.)	[ekipe]
étage (un)	[ɛ̃netaʒ]
étagère (une)	[ynetaʒɛr]
exceptionnel/le (adj.)	[ɛksɛpsjɔnɛl] / [ɛksɛpsjɔnɛl]
exposé(e) (adj.)	[ɛkspɔze] / [ɛkspɔze]
exposition (une)	[ynɛkspɔzisjɔ̃]
faire beau (v.)	[fɛr bo]
fauteuil (un)	[ɛ̃ fotœj]
fenêtre (une)	[yn(ə) fənɛtr]
immeuble (un)	[ɛ̃nimœbl]
individuel(le) (adj.)	[ɛ̃dividɥɛl] / [ɛ̃dividɥɛl]
lavabo (un)	[ɛ̃ lavabo]
lave-linge (un)	[ɛ̃ lav(ə) lɛ̃ʒ]
lave-vaisselle (un)	[ɛ̃ lav(ə) vɛsɛl]
lit (un)	[ɛ li]
location (une)	[yn(ə) lɔkasjɔ̃]
logement (un)	[ɛ̃ lɔʒ(ə)mã]
loyer (un)	[ɛ̃lwaje]
lumineux/se (adj.)	[lyminø] / [lyminøz]
meuble (un)	[ɛ̃ mœbl]
meublé(e) (adj.)	[mœble] / [mœble]

Lexique

neiger (v.)	[neʒe]
nuageux/euse (adj.)	[nɥaʒø] / [nɥaʒøz]
parking (un)	[ɛ̃ parkiŋ]
parquet (un)	[ɛ̃ parkɛ]
place de parking (une)	[yn(ə) plas də parkiŋ]
pleuvoir (v.)	[pløvwar]
possibilité (une)	[yn(ə) pɔsibilite]
premier	[prəmje]
réfrigérateur (un)	[ɛ̃ refriʒeratœr]
salle d'eau (une)	[yn(ə) sal do]
salle de bain (une)	[yn(ə) sal də bɛ̃]
salon (un)	[ɛ̃ salɔ̃]
se composer (v.)	[s(ə) kɔ̃pɔze]
se loger (v.)	[s(ə) lɔʒe]
séjour (un)	[ɛ̃ seʒur]
sélectionner (v.)	[selɛksjɔne]
table basse (une)	[yn(ə) tablə bas]
télévision (la)	[la televizjɔ̃]
toilettes séparées (des)	[de twalɛt(ə) separe]
tôt	[to]
troisième	[trwazjɛm]
trop	[tro]

Leçon 31

privé(e) (adj.)	[prive] / [prive]
profil (un)	[ɛ̃ prɔfil]